BUENOS DÍAS
ABBA

SABIDURÍA Y REFLEXIÓN PARA TODOS LOS DÍAS

DR. TEO A. BABÚN

REFERENCIAS Y CRÉDITOS

PRESENTADA A

_____

_____

POR

_____

_____

EN OCASIÓN DE

_____

_____

FECHA

_____

_____

DEDICACIÓN

A mi esposa Mary, a mis hijos, y a mis nietos.

INTRODUCCIÓN

Gálatas 4:6

[6] y debido a que somos[a] sus hijos, Dios envió al Espíritu de su Hijo a nuestro corazón, el cual nos impulsa a exclamar «Abba*» .

*Lenguaje árabe, que quiere decir: Padre, Papi

BUENOS DIAS ABBA-Sabiduría y Reflexión Para Todos Los Días es una colección de oraciones y meditaciones. Cada día esta acompañado con su referencia bíblica, oración, y sabiduría para ayudarnos a reflexionar durante el día entero, y así crear una especie de guía practica de esperanza y estimulo día a día.

En BUENOS DIAS ABBA-Sabiduría y Reflexión Para Todos Los Días usted encontrara protocolos para gobernar como debemos vivir diariamente, desde como manejar la ansiedad, a nuestros valores cristianos. Este libro lo ayudará a crear un desafió para expandir su perspectiva, solidificar su relación con Dios, y satisfacer su llamado espiritual.

Si eres como yo, los alojamientos del tiempo, y nuestras circunstancias personales nos limitan tener un tiempo de calidad en silencio y en oración diarios con Dios. En BUENOS DIAS ABBA-Sabiduría y Reflexión Para Todos Los Días usted encontrara los recursos necesarios para acercarse a Dios todos los días del año.

Espero que usted encuentre que este trabajo le ayude a acercarse a Dios, ayudándole a orar y a recordar lo esencial de nuestra fe cada día de su vida.

PRÓLOGO

Como trabajador de tiempo completo para un ministerio de alcance internacional en los Estados Unidos sirviendo a la Iglesia en las Américas, el acceso que tengo a los recursos del Evangelio es casi completo. Estoy rodeado de maestros, sermones, libros, recursos en línea, software, Biblias, blogs, y la lista continúa.

Estoy frecuentemente en contacto con líderes de los países en las Américas; como en Cuba, donde los recursos cristianos en español son prácticamente inexistentes. Muchos pastores y líderes de la Iglesia cuentan con un muy limitado acceso a recursos y enseñanzas centradas en el Evangelio. Los recursos devocionales son también muy escasos, por no decir nulos.

Por eso le doy gracias a Dios por la oportunidad de poder compartir este diario de oraciones y reflexiones con el rebaño del pueblo de Dios en las Américas.

Oro para que Dios use estos momentos de sabiduría y reflexión cada día para que usted pueda acercarse más a nuestro Padre Dios, ¡nuestro ABBA!

Teo Babún

Salmo 96:3
"Proclamen su gloria entre las naciones,
sus maravillas entre todos los pueblos."

Lucas 11

Enseñanza acerca de la oración

Una vez, Jesús estaba orando en cierto lugar. Cuando terminó, uno de sus discípulos se le acercó y le dijo:

—Señor, enséñanos a orar, así como Juan les enseñó a sus discípulos.

2 Jesús dijo:

—Deberían orar de la siguiente manera:[a]

Padre, que siempre sea santificado tu nombre.
    Que tu reino venga pronto.
3 Danos cada día el alimento que necesitamos[b]
4 y perdónanos nuestros pecados,
    así como nosotros perdonamos a los que pecan contra nosotros. Y no permitas que cedamos ante la tentación.[c]

5 Luego utilizó la siguiente historia para enseñarles más acerca de la oración: «Supongan que uno de ustedes va a la casa de un amigo a medianoche para pedirle que le preste tres panes. Le dices: 6 "Acaba de llegar de visita un amigo mío y no tengo nada para darle de comer". 7 Supongan que ese amigo grita desde el dormitorio: "No me molestes. La puerta ya está cerrada, y mi familia y yo estamos acostados. No puedo ayudarte". 8 Les digo que, aunque no lo haga por amistad, si sigues tocando a la puerta el tiempo suficiente, él se levantará y te dará lo que necesitas debido a tu audaz insistencia.[d]

9 »Así que les digo, sigan pidiendo y recibirán lo que piden; sigan buscando y encontrarán; sigan llamando, y la puerta se les abrirá. 10 Pues todo el que pide, recibe; todo el que busca, encuentra; y a todo el que llama, se le abrirá la puerta.

11 »Ustedes, los que son padres, si sus hijos les piden[e] un pescado, ¿les dan una serpiente en su lugar? 12 O si les piden un huevo, ¿les dan un escorpión? ¡Claro que no! 13 Así que si

ustedes, gente pecadora, saben dar buenos regalos a sus hijos, cuánto más su Padre celestial dará el Espíritu Santo a quienes lo pidan».

Marcos 11

22 Entonces Jesús dijo a los discípulos:

—Tengan fe en Dios. 23 Les digo la verdad, ustedes pueden decir a esta montaña: "Levántate y échate al mar", y sucederá; pero deben creer de verdad que ocurrirá y no tener ninguna duda en el corazón. 24 Les digo, ustedes pueden orar por cualquier cosa y si creen que lo han recibido, será suyo.25 Cuando estén orando, primero perdonen a todo aquel contra quien guarden rencor, para que su Padre que está en el cielo también les perdone a ustedes sus pecados.

Enero 1

LA ESCRITURA DE HOY

Isaías 26:3-4

³ ¡Tú guardarás en perfecta paz
a todos los que confían en ti;
a todos los que concentran en ti sus pensamientos!
⁴ Confíen siempre en el Señor,
porque el Señor Dios es la Roca eterna.

SABIDURÍA Y REFLEXIÓN

¿Cómo debo vivir?
¿En qué debo de reflejar hoy?

Ora para que la paz activa de Dios, que es energía por excelencia, esté contigo.

ORACIÓN DE ARRANQUE

Mi Abba y mi Rey, gracias por la paz interior en medio de un mundo turbulento. Oro también por Tu paz activa y perfecta que es una manifestación de mi confianza en Ti.

MI REACCIÓN Y MI ORACIÓN

Enero 2

LA ESCRITURA DE HOY

Juan 1:12

[12] Pero a todos los que creyeron en él y lo recibieron, les dio el derecho de llegar a ser hijos de Dios.

SABIDURÍA Y REFLEXIÓN

Obedece la voluntad de Dios a plenitud. Él te capacita para que puedas obedecer Su voluntad agradable y perfecta.

ORACIÓN DE ARRANQUE

Mi Abba y mi Rey, reconozco que mi salvación me es provista mediante la sangre de Jesús derramada en la cruz. Ayúdame a obedecer Tu voluntad en mi vida, la cual yo acepto, y sé que es agradable y perfecta.

MI REACCIÓN Y MI ORACIÓN

LA ESCRITURA DE HOY

Isaías 53:4

[4] Sin embargo, fueron nuestras debilidades las que él cargó;
fueron nuestros dolores los que lo agobiaron.
Y pensamos que sus dificultades eran un castigo de Dios;
¡un castigo por sus propios pecados!

SABIDURÍA Y REFLEXIÓN

Regocíjate del amor inexpresable de Dios: haciendo de su Hijo unigénito
el chivo expiatorio por cada hombre, mujer y niño.

ORACIÓN DE ARRANQUE

Mi Abba y mi Rey, me postro humildemente, confesando mi necesidad
personal de Tu gracia y redención. Gracias por seleccionar la única
manera posible de perdonarnos el pecado, a través de Tu Hijo
Unigénito; gracias por quererme tanto.

MI REACCIÓN Y MI ORACIÓN

Enero 4

LA ESCRITURA DE HOY

Lucas 15:8

Parábola de la moneda perdida

[8] »O supongamos que una mujer tiene diez monedas de plata y pierde una. ¿No encenderá una lámpara y barrerá toda la casa y buscará con cuidado hasta que la encuentre?»

SABIDURÍA Y REFLEXIÓN

Arrepiéntete completamente regresando al Padre celestial. ¡El remordimiento no es arrepentimiento completo! ¡Regresar a Dios es arrepentimiento!

ORACIÓN DE ARRANQUE

Mi Abba y mi Rey, gracias por Tus brazos de misericordia extendidos para recibirnos y perdonarnos. Ayúdame a arrepentirme completamente de mi rebeldía contra ti, ayúdame regresar a Ti. Ayúdame también a ser más como el padre y menos como los hijos.

MI REACCIÓN Y MI ORACIÓN

LA ESCRITURA DE HOY

Romanos 5:8

[8] Pero Dios mostró el gran amor que nos tiene al enviar a Cristo a morir por nosotros cuando todavía éramos pecadores.

SABIDURÍA Y REFLEXIÓN

No ignores las exigencias de Dios porque quieres retener el derecho de dirigir tu propia vida. El pecado es una abominación ante los ojos de Dios.

ORACIÓN DE ARRANQUE

Mi Abba y mi Rey, asumo la responsabilidad de mis pecados. O Dios, necesito Tu perdón. Ayúdame a ofrecerte que dirijas mi vida, y no caer en la trampa de pensar que estoy en control, y así pecar, al ignorar Tu voluntad en mi vida.

MI REACCIÓN Y MI ORACIÓN

Enero 6

LA ESCRITURA DE HOY

Hebreos 2:17

[17] Por lo tanto, era necesario que en todo sentido él se hiciera semejante a nosotros, sus hermanos, para que fuera nuestro Sumo Sacerdote fiel y misericordioso, delante de Dios. Entonces podría ofrecer un sacrificio que quitaría los pecados del pueblo.

SABIDURÍA Y REFLEXIÓN

Sé fiel a Jesús porque Él fue fiel y misericordioso al servicio de Dios, a fin de expiar el pecado que nos puso a cada uno de nosotros en enemistad con Dios y a Dios en enemistad con nosotros.

ORACIÓN DE ARRANQUE

Mi Abba y mi Rey, el amor que expresaste hacia nosotros mediante Tu muerte y resurrección me da esperanza. Por eso Te alabo. ¡Gracias por Tu obra de reconciliación lo cual me ha enseñado que me amas grandiosamente!

MI REACCIÓN Y MI ORACIÓN

LA ESCRITURA DE HOY

Hechos 17:30

³⁰ En la antigüedad Dios pasó por alto la ignorancia de la gente acerca de estas cosas, pero ahora Él manda que todo el mundo en todas partes se arrepienta de sus pecados y vuelva a él.

SABIDURÍA Y REFLEXIÓN

Deja que Dios trate con lo malo en tu vida: el pecado. Fija tu mente en Dios y permite que la santa luz de Jesucristo escudriñe cada pliegue y cada grieta.

ORACIÓN DE ARRANQUE

Mi Abba y mi Rey, examíname. Capacítame para abandonar todo pecado y vivir para Ti. Perdóname por todo lo que hago que no es digno de Tu persona. Examina mi corazón y determina si hay manchas las cuales Tus debes de limpiar. Ayúdame a estar pendiente de todo pecado y de permitir que Jesucristo mantenga mi vida limpia y pura.

MI REACCIÓN Y MI ORACIÓN

Enero 8

LA ESCRITURA DE HOY

1 Tesalonicenses 3:13

¹³ Que él, como resultado, fortalezca su corazón para que esté sin culpa y sea santo al estar ustedes delante de Dios nuestro Padre cuando nuestro Señor Jesús regrese con todo Su pueblo santo. Amén.

SABIDURÍA Y REFLEXIÓN

Sé intachable delante de Dios.

ORACIÓN DE ARRANQUE

Mi Abba y mi Rey, ayúdame a ser un santo intachable delante de Ti. Protégeme en todas mis actitudes y acciones. ¡Fortaléceme interiormente para ser digno de Tu llamado, Padre Santo!

MI REACCIÓN Y MI ORACIÓN

LA ESCRITURA DE HOY

2 Corintios 4:17

[17] Pues nuestras dificultades actuales son pequeñas y no durarán mucho tiempo. Sin embargo, ¡nos producen una gloria que durará para siempre y que es de mucho más peso que las dificultades!

SABIDURÍA Y REFLEXIÓN

Ten una devoción personal, apasionada e incontenible por el Señor Jesús.

ORACIÓN DE ARRANQUE

Mi Abba y mi Rey, con Tu ayuda, seré fiel a Ti. Ayúdame a tener una devoción personal con Jesús. Yo deseo parecerme más y más a Él. Yo quisiera poder oír Tu dirección sin la influencia del mundo.

MI REACCIÓN Y MI ORACIÓN

Enero 10

LA ESCRITURA DE HOY

Efesios 1:18

[18] Pido que les inunde de luz el corazón, para que puedan entender la esperanza segura que él ha dado a los que llamó —es decir, su pueblo santo—, quienes son su rica y gloriosa herencia.

SABIDURÍA Y REFLEXIÓN

Ama a Dios El Señor, con todo tu corazón, con toda tu alma, con toda tu mente, y con todas tus fuerzas. Y ama a tu prójimo como a ti mismo.

ORACIÓN DE ARRANQUE

Mi Abba y mi Rey, muchas veces me siento necesitado de tener más de Ti para poder comprender mejor cómo ser un verdadero santo de Dios. Ayúdame a amarte con todo mi corazón, con toda mi alma, con toda mi mente, y con toda mi fuerza.

MI REACCIÓN Y MI ORACIÓN

Enero 11

LA ESCRITURA DE HOY

Romanos 7:25

²⁵ ¡Gracias a Dios! La respuesta está en Jesucristo nuestro Señor. Así que ya ven: en mi mente de verdad quiero obedecer la ley de Dios, pero a causa de mi naturaleza pecaminosa, soy esclavo del pecado.

SABIDURÍA Y REFLEXIÓN

Decide ahora mismo que quieres hacer con tu vida. ¿Volver a hundirte en el viejo hombre de pecado?, o ¿levantarte a un nuevo hombre de santidad?

ORACIÓN DE ARRANQUE

Mi Abba y mi Rey, a menos que Tú me des el poder para vivir en victoria, Te fallaré de una manera pésima. Ayúdame a no hundirme, volviendo a ser el viejo hombre de pecado. Dame la fortaleza para solidificarme como un nuevo hombre de santidad. Ayúdame a tomar las decisiones personales de mi vida favoreciéndote a Ti.

MI REACCIÓN Y MI ORACIÓN

Enero 12

LA ESCRITURA DE HOY

Romanos 7:24

[24] ¡Soy un pobre desgraciado! ¿Quién me libertará de esta vida dominada por el pecado y la muerte?

SABIDURÍA Y REFLEXIÓN

Libérate y rompe las cadenas del pecado que te tiene cautivo. Sométete a la ley de Dios, aunque tu naturaleza esta sujeta a la ley del pecado.

ORACIÓN DE ARRANQUE

Mi Abba y mi Rey, crea dentro de mí un nuevo corazón en completa unidad contigo y con Tus propósitos. Yo entiendo que mi cuerpo y mí naturaleza están sujetos a la ley del pecado, pero Tú puedes controlar estas faltas. Por el medio de Jesucristo yo ofrezco mi cuerpo y mi vida natural y me someto a la ley de Dios.

MI REACCIÓN Y MI ORACIÓN

Enero 13

LA ESCRITURA DE HOY

Gálatas 1:16

[16] revelarme a su Hijo para que yo proclamara a los gentiles la Buena Noticia acerca de Jesús. Cuando esto sucedió, no me apresuré a consultar con ningún ser humano.

SABIDURÍA Y REFLEXIÓN

Consulta solamente con Dios cuando Él te hable. Ten coraje y disciplina para obedecer Su voluntad directamente.

ORACIÓN DE ARRANQUE

Mi Abba y mi Rey, perdóname por mi tendencia a permitir que las voces humanas acallen la voz quieta y apacible de Tu Espíritu. Cuando Tú me mandes acerca de algo, ayúdame a no consultar con nadie. Al contrario, dame fuerza para obedecer Tu voluntad directamente.

MI REACCIÓN Y MI ORACIÓN

Enero 14

LA ESCRITURA DE HOY

1 Corintios 13:13

[13] Tres cosas durarán para siempre: la fe, la esperanza y el amor; y la mayor de las tres es el amor.

SABIDURÍA Y REFLEXIÓN

Ten una devoción personal y apasionada hacia Jesús y nadie podrá jamás destruirte.

ORACIÓN DE ARRANQUE

Mi Abba y mi Rey, yo deseo tener una devoción personal y poderosa hacia Tu Hijo, Jesucristo. Padre Santo, yo Te amo apasionadamente. Enséñame a amarte con esa devoción poderosa la cual yo deseo en mi corazón.

MI REACCIÓN Y MI ORACIÓN

Enero 15

LA ESCRITURA DE HOY

Hechos 9:17

[17] Así que Ananías fue y encontró a Saulo, puso sus manos sobre él y dijo: «Hermano Saulo, el Señor Jesús, quien se te apareció en el camino, me ha enviado para que recobres la vista y seas lleno del Espíritu Santo».

SABIDURÍA Y REFLEXIÓN

Llénate del Espíritu de Dios. Él te hará "arder" por la gloria de Dios.

ORACIÓN DE ARRANQUE

Mi Abba y mi Rey, lléname, con Tu presencia poderosa mientras trabajo para Ti. Señor, ábreme el deseo para permite que Tu Espíritu me llene por completo y así poder hacer Tu obra.

MI REACCIÓN Y MI ORACIÓN

Enero 16

LA ESCRITURA DE HOY

Hechos 15:9

⁹ Él no hizo ninguna distinción entre nosotros y ellos, pues les limpió el corazón por medio de la fe.

SABIDURÍA Y REFLEXIÓN

Deja que el Espíritu de Dios te capacite para entender que Su gracia es Su medio especial para obtener la santificación completa.

ORACIÓN DE ARRANQUE

Mi Abba y mi Rey, te alabo por la verdad de la santificación en Tu Palabra. Gracias por purificar mi corazón por la fe en Ti. Tu Espíritu me quita toda la confusión y me capacita para entender y obtener Tus bendiciones. Gracias por Tu gracia que es Tu medio especial para obtener la santificación completa.

MI REACCIÓN Y MI ORACIÓN

LA ESCRITURA DE HOY

Gálatas 2:20

[20] Mi antiguo yo ha sido crucificado con Cristo. Ya no vivo yo, sino que Cristo vive en mí. Así que vivo en este cuerpo terrenal confiando en el Hijo de Dios, quien me amó y se entregó a sí mismo por mí.

SABIDURÍA Y REFLEXIÓN

Haz lo que tengas que hacer para mejorar tu relación con Jesucristo, quien te ama y dio Su vida por ti ¡Que bueno sería si otros pudieran oler el aroma de Jesús en ti!

ORACIÓN DE ARRANQUE

Mi Abba y mi Rey, manifiesta Tu belleza santa en mí y por medio de mí. Gracias por impartir Tus perfecciones en mí para poderme hacer más y más cada día a Jesús. Dame fuerza para permitir que Tus perfecciones se manifiesten en mi vida mortal, en todo lo que ago.

MI REACCIÓN Y MI ORACIÓN

LA ESCRITURA DE HOY

1 Corintios 1:30

[30] Dios los ha unido a ustedes con Cristo Jesús. Dios hizo que él fuera la sabiduría misma para nuestro beneficio. Cristo nos hizo justos ante Dios; nos hizo puros y santos y nos liberó del pecado.

SABIDURÍA Y REFLEXIÓN

Entrona a Cristo en la plenitud de Su poder. Dios te santifica cuando Cristo es crucificado y resucitado dentro de ti.

ORACIÓN DE ARRANQUE

Mi Abba y mi Rey, Te alabo por mandar a Tu hijo Jesús al cual has hecho nuestra sabiduría. Gracias por Tu justificación, Tu santificación, y Tu glorificación. Te pido que mi vida refleje siempre la belleza de la santidad mientras crezco en Tu gracia.

MI REACCIÓN Y MI ORACIÓN

Enero 19

LA ESCRITURA DE HOY

Romanos 6:11

[11] Así también ustedes deberían considerarse muertos al poder del pecado y vivos para Dios por medio de Cristo Jesús.

SABIDURÍA Y REFLEXIÓN

Rompe con el pecado de una manera voluntaria, consciente y definitiva.

ORACIÓN DE ARRANQUE

Mi Abba y mi Rey, mediante Tu misericordia y Tu gracia, Señor, me rindo a Ti completa y verdaderamente. Ayúdame a permanecer en Ti, a estar vivo para Ti en Cristo Jesús. Ayúdame a romper con el pecado, concientemente y definitivamente. Dame fuerza para orar y ayunar para fortalecer mi voluntad. Gracias por Tu Espíritu Santo el cual ha recreado mis deseos y mis afectos internos.

MI REACCIÓN Y MI ORACIÓN

LA ESCRITURA DE HOY

Salmos 140:7

⁷ Oh Soberano SEÑOR, Tú eres el poderoso que me rescató. Tú me protegiste en el día de la batalla.

SABIDURÍA Y REFLEXIÓN

Busca la santificación completa para que puedas adquirir la fuerza espiritual. Nada puede destruir a la persona a quien Dios respalda.

ORACIÓN DE ARRANQUE

Mi Abba y mi Rey, yo soy débil en mi propia fuerza. ¡Manifiesta Tu poder y Tu fuerza en mí! Protégeme de los violentos, de los que piensan hacerme caer. Señor misericordioso, no permitas que sus planes prosperen. Gracias por Tu promesa de defender el derecho de los necesitados. Te alabaré porque nada puede destruir a la persona a quien Tú respaldas.

MI REACCIÓN Y MI ORACIÓN

LA ESCRITURA DE HOY

Lucas 11:39

[39] Entonces el Señor le dijo: "Ustedes, los fariseos, son tan cuidadosos para limpiar la parte exterior de la taza y del plato pero ustedes están sucios por dentro, illenos de avaricia y de perversidad!"

SABIDURÍA Y REFLEXIÓN

Permite a Jesucristo manifestarse en cada fibra de tu ser. Abstente de toda clase de cosas malas.

ORACIÓN DE ARRANQUE

Mi Abba y mi Rey, Te doy todo lo que soy y todo lo que tengo. Soy Tuyo por completo. Ayúdame a no ser como los fariseos, limpiando mi plato por fuera, pero por dentro lleno de maldad. Dame fuerza para manifestar una vida inspirada por la de Jesucristo.

MI REACCIÓN Y MI ORACIÓN

Enero 22

LA ESCRITURA DE HOY

Hebreos 13:12

[12] De igual manera, Jesús sufrió y murió fuera de las puertas de la ciudad para hacer santo a su pueblo mediante su propia sangre.

SABIDURÍA Y REFLEXIÓN

Recuerda que la santificación es el don directo de Dios que viene por la fe en Él y en Su palabra.

ORACIÓN DE ARRANQUE

Mi Abba y mi Rey, gracia por la fe en Ti que me diste a través de Tu Espíritu Santo. Gracias por Tu palabra, en la cual encuentro todo lo que necesito saber. Gracias por santificación a través de Tu fe y de Tu palabra. Jesús, necesito y deseo más de Ti en mi vida.

MI REACCIÓN Y MI ORACIÓN

LA ESCRITURA DE HOY

1 Pedro 1:2

[2] Dios Padre los conocía y los eligió desde hace mucho tiempo, y su Espíritu los ha hecho santos. Como resultado, ustedes lo obedecieron y fueron limpiados por la sangre de Jesucristo. Que Dios les conceda cada vez más gracia y paz.

SABIDURÍA Y REFLEXIÓN

Obedece e imita a Jesucristo en todo. La obediencia es el medio mediante el cual tú muestras la intensidad de tu deseo de hacer la voluntad de Dios.

ORACIÓN DE ARRANQUE

Mi Abba y mi Rey, Te obedeceré y prestaré atención a Tu llamado a la santidad para así demostrarte mi deseo de hacer Tu voluntad. Bendíceme con abundante gracia y la paz, y adusta mi personalidad para imitar en mi carne mortal la vida de Jesucristo.

MI REACCIÓN Y MI ORACIÓN

Enero 25

LA ESCRITURA DE HOY

1 Tesalonicenses 4:3

[3] La voluntad de Dios es que sean santos, entonces aléjense de todo pecado sexual.

SABIDURÍA Y REFLEXIÓN

Aprende a controlar tu propio cuerpo de una manera santa y honrosa, sin dejarte llevar por los malos deseos.

ORACIÓN DE ARRANQUE

Mi Abba y mi Rey, permíteme conocer la certidumbre de ser Tuyo por completo. Señor, ayúdame a apartarme de cualquier inmoralidad, y a aprender a controlar mi propio cuerpo para honrarte siempre. Protégeme contra los malos deseos y a estar seguro de Tu presencia.

MI REACCIÓN Y MI ORACIÓN

LA ESCRITURA DE HOY

1 Tesalonicenses 5:14

[14] Hermanos, les rogamos que amonesten a los perezosos. Alienten a los tímidos. Cuiden con ternura a los débiles. Sean pacientes con todos.

SABIDURÍA Y REFLEXIÓN

Sé consciente de tus propias debilidades cuando tiendes a perder la paciencia con la debilidad de otros.

ORACIÓN DE ARRANQUE

Mi Abba y mi Rey, hazme consciente de mis propias debilidades cuando tiendo a perder la paciencia con la debilidad de otros. Ayúdame a alentar a los desanimados y ayudar a los débiles; también enséñame a amar a los que trabajan en Tu obra. Cuando considero otros, recuérdame el gran tiempo que ha tomado para mi llegar hasta este punto de mi vida.

MI REACCIÓN Y MI ORACIÓN

Enero 27

LA ESCRITURA DE HOY

1 Tesalonicenses 5:18

[18] Sean agradecidos en toda circunstancia, pues esta es la voluntad de Dios para ustedes, los que pertenecen a Cristo Jesús.

SABIDURÍA Y REFLEXIÓN

Regocíjate en todo, no importa dónde te encuentres, no importa cuáles sean tus circunstancias, no importa qué tribulaciones vengan. ¡Dios está en control!

ORACIÓN DE ARRANQUE

Mi Abba y mi Rey, sabiendo que Tú no cambias, me regocijo en todo lo que permites que experimente hoy. Dame fuerza para orar continuamente sin cesar en toda situación dándote gracias en todas mis circunstancias y durante cualquier tribulación. Ayúdame a estar siempre alegre porque Te conozco.

MI REACCIÓN Y MI ORACIÓN

LA ESCRITURA DE HOY

1 Tesalonicenses 5:23

[23] Ahora, que el Dios de paz los haga santos en todos los aspectos, y que todo su espíritu, alma y cuerpo se mantenga sin culpa hasta que nuestro Señor Jesucristo vuelva.

SABIDURÍA Y REFLEXIÓN

No te preocupes, Dios te equipara y te capacitara para amar a los demás como Él ama. Él te permite vivir y andar y respirar y moverte en tu cuerpo natural con la semejanza de Jesucristo.

ORACIÓN DE ARRANQUE

Mi Abba y mi Rey, límpiame por completo y equípame para vivir, de hoy en adelante, a la semejanza de mi Señor. Gracias por permitirme vivir, respirar, y andar. Oro por mi salud para poder ejercer Tu llamado. Padre Santo, mantén mi alma y mi cuerpo en una forma irreprochable. ¡Santifícame por completo!

MI REACCIÓN Y MI ORACIÓN

Enero 29

LA ESCRITURA DE HOY

Juan 17:17

[17] Hazlos santos con tu verdad; enséñales tu palabra, la cual es verdad.

SABIDURÍA Y REFLEXIÓN

Permite que Jesús llene tus pensamientos y acciones con Su santidad y Su belleza. Ten la disciplina de siempre leer Su palabra para que seas santificado en ella.

ORACIÓN DE ARRANQUE

Mi Abba y mi Rey, permíteme que cada uno de mis pensamientos y acciones esté lleno de la santidad y la belleza de Jesús. Ayúdame a invitar a Jesús conscientemente a que viva Su vida en mí; siempre haciendo el bien, orando, y leyendo Tu Santa Biblia. Padre mío, santifícame en Tu palabra.

MI REACCIÓN Y MI ORACIÓN

Enero 30

LA ESCRITURA DE HOY

Mateo 18:35

[35] Eso es lo que les hará mi Padre celestial a ustedes si se niegan a perdonar de corazón a sus hermanos.

SABIDURÍA Y REFLEXIÓN

Olvida las transgresiones en contra de ti. El olvidar es la esencia del perdón divino.

ORACIÓN DE ARRANQUE

Mi Abba y mi Rey, ayúdame a perdonar las transgresiones de los demás. Particularmente, ayúdame a perdonar a los que me han dañado seriamente, y a los que me siguen haciendo el mal hasta hoy. Ayúdame a olvidar, que es la esencia del perdón divino.

MI REACCIÓN Y MI ORACIÓN

LA ESCRITURA DE HOY

1 Corintios 3:8

[8] El que planta y el que riega trabajan en conjunto con el mismo propósito. Y cada uno será recompensado por su propio arduo trabajo.

SABIDURÍA Y REFLEXIÓN

Aléjate de ciertas personalidades dentro y fuera de la iglesia. Trata a todos en una forma pareja y con buen humor. Y rechaza toda forma de celos y contiendas.

ORACIÓN DE ARRANQUE

Mi Abba y mi Rey, permíteme aprender que hacer de otras personas mis ídolos, aun en obra de la iglesia, es una abominación ante Ti. Señor, ayúdame también a tratar a todos en una forma pareja y con buen humor. Padre Santo, protégeme contra los celos y las contiendas. Dame sabiduría para actuar con Tus criterios y no con los criterios humanos.

MI REACCIÓN Y MI ORACIÓN

LA ESCRITURA DE HOY

1 Corintios 3:9-15

[14] Si la obra permanece, ese constructor recibirá una recompensa...

SABIDURÍA Y REFLEXIÓN

Construye sobre el fundamento que es Jesucristo. Acuérdate que somos propensos a elevar a los maestros, predicadores o líderes en vez de seguir a Jesús. Pon tus afectos solamente en Él.

ORACIÓN DE ARRANQUE

Mi Abba y mi Rey, ayúdame a construir sobre el fundamento que es Jesucristo para que mi trabajo permanezca. Líbrame de seguir a lideres aureolados en vez de a Dios. Ayúdame también a poner mis afectos y mi fe en Ti.

MI REACCIÓN Y MI ORACIÓN

Febrero 2

LA ESCRITURA DE HOY

Gálatas 5:1-16

Libertad en Cristo

[5] Por lo tanto, Cristo en verdad nos ha liberado. Ahora asegúrense de permanecer libres y no se esclavicen de nuevo a la ley.

SABIDURÍA Y REFLEXIÓN

Demuestra tu fe mediante el amor; basa todos tus argumentos en Jesucristo. Mantente firme en la verdad y en la palabra de Dios, y no en las convicciones personales de otros.

ORACIÓN DE ARRANQUE

Mi Abba y mi Rey, líbrame de ser esclavo de las convicciones personales de otros creyentes. Ayúdame para que yo en realidad pueda disfrutar de la libertad en Cristo, y demostrar mi fe mediante el amor sin preocuparme por ofender los escrúpulos de otros. Protégeme contra los deseos de mi naturaleza pecaminosa, para así poder vivir por el Espíritu.

MI REACCIÓN Y MI ORACIÓN

Febrero 3

LA ESCRITURA DE HOY

Juan 14:1-15

⁶ Jesús le contestó:

—Yo soy el camino, la verdad y la vida; nadie puede ir al Padre si no es por medio de mí.

SABIDURÍA Y REFLEXIÓN

Ten confianza en las promesas del Señor. Manifiesta tu fe en una conducta ejemplar, y en un carácter excelente, y ten una devoción personal a Jesucristo diaria y segura.

ORACIÓN DE ARRANQUE

Mi Abba y mi Rey, crea en mi una devoción personal a Jesucristo que se manifieste en una conducta ejemplar, y en un carácter excelente. Levanta dentro de mi una confianza completa, y una fe indestructible. Hoy manifiesto mi fe al poner mis peticiones en la base de Tu cruz y para la glorificación del Padre. Dame, Padre santo, la necesaria disciplina para tener una devoción personal diaria y segura.

MI REACCIÓN Y MI ORACIÓN

Febrero 4

LA ESCRITURA DE HOY

1 Corintios 4:4

⁴ Tengo la conciencia limpia, pero eso no demuestra que yo tenga razón. Es el Señor mismo quien me evaluará y tomará la decisión.

SABIDURÍA Y REFLEXIÓN

Deja que Dios juzgue a la persona en la cual te estas concentrando; esto te incluye a ti mismo. No juzgues a nadie, para que nadie te juzgue a ti. Y recuerda que quedarás absuelto porque el que te juzga es El Señor.

ORACIÓN DE ARRANQUE

Mi Abba y mi Rey, límpiame de la justificación propia. Quiero obedecerte a Ti. Ayúdame, Dios, a ser justo en mi evaluación de otros, y a recordar que solo El Señor juzga.

MI REACCIÓN Y MI ORACIÓN

LA ESCRITURA DE HOY

1 Corintios 4:3

³ En cuanto a mí, me importa muy poco cómo me califiquen ustedes o cualquier autoridad humana. Ni siquiera confío en mi propio juicio en este sentido.

SABIDURÍA Y REFLEXIÓN

Dedica tus pensamientos y tú camino diario a Dios, y entonces, déjalo examinar tu corazón. Dios te guiara en su propia forma hacia el buen camino.

ORACIÓN DE ARRANQUE

Mi Abba y mi Rey, no mi voluntad, sino la tuya sea hecha, O Jesús. Te ofrezco mi corazón y mis pensamientos, y te pido que los examines y que me guíes hacia el buen camino.

MI REACCIÓN Y MI ORACIÓN

Febrero 6

LA ESCRITURA DE HOY

1 Corintios 10:31

[31] Así que, sea que coman o beban o cualquier otra cosa que hagan, háganlo todo para la gloria de Dios.

SABIDURÍA Y REFLEXIÓN

No sigas las convicciones personales de otros. Sé balanceado en todo lo que hagas, y hazlo todo para la gloria de Dios.

ORACIÓN DE ARRANQUE

Mi Abba y mi Rey, ayúdame a hacer balanceado en todo lo que yo haga y que en ninguna forma cause que otra persona tropiece por mi conducta. También ayúdame a no caer en la trampa de seguir las convicciones personales de otros.

MI REACCIÓN Y MI ORACIÓN

LA ESCRITURA DE HOY

2 Corintios 11:30

[30] Si debo jactarme, preferiría jactarme de las cosas que muestran lo débil que soy.

SABIDURÍA Y REFLEXIÓN

Ama a los que no son amables. Ayuda a tus hermanos en Cristo. Se humilde en todo y hacia todos.

ORACIÓN DE ARRANQUE

Mi Abba y mi Rey, ayúdame a amar a los demás como los amas Tú, y a orar por sus conductas y sus circunstancias. Gracias por mis hermanos en Cristo. Enciende en mi un fuego de amor y cooperación hacia ellos. Y ayúdame a ser humilde en todo y hacia todos.

MI REACCIÓN Y MI ORACIÓN

Febrero 8

LA ESCRITURA DE HOY

1 Corintios 4:3

[3] En cuanto a mí, me importa muy poco cómo me califiquen ustedes o cualquier autoridad humana. Ni siquiera confío en mi propio juicio en este sentido.

SABIDURÍA Y REFLEXIÓN

Despreocúpate cuando alguien te acusa falsamente. Ten confianza de que quedas absuelto porque Dios es tu verdadero Juez.

ORACIÓN DE ARRANQUE

Mi Abba y mi Rey, Tu eres el Juez Supremo; Tú sabes bien lo que está oculto en la obscuridad. Padre Santo, tu pondrás al descubrimiento las intenciones de cada corazón. Protégeme contra la preocupación cuando cualquiera me acusa falsamente porque yo sé que estoy absuelto porque Tu eres mi verdadero Juez, y eso es lo único que me importa.

MI REACCIÓN Y MI ORACIÓN

Febrero 9

LA ESCRITURA DE HOY

1 Corintios 10:10

[10] Y no murmuren como lo hicieron algunos de ellos, y luego el ángel de la muerte los destruyó.

SABIDURIA Y REFLEXIÓN

Confía en Dios cuando seas tentado. Acuérdate que Él no permitirá que seas tentado mas allá de lo que puedas aguantar. Se disciplinado, y entrégale tu independencia a Jesús.

ORACIÓN DE ARRANQUE

Mi Abba y mi Rey, gracias por Tu fealdad en no permitir que yo sea tentado mas allá de lo que yo pueda aguantar. Protégeme contra mi naturaleza de convertirme en un defensor intolerable de mis puntos y mis convicciones personales, lo cual se puede convertir en mi estándar de espiritualidad. Ayúdame a entregarte mi independencia y mis convicciones personales. Desde mi corazón clamo, "Santo, santo, santo" es el Señor Dios omnipotente.

MI REACCIÓN Y MI ORACIÓN

Febrero 10

Gálatas 1:4

⁴ Tal como Dios nuestro Padre lo planeó, Jesús entregó su vida por nuestros pecados para rescatarnos de este mundo de maldad en el que vivimos.

SABIDURIA Y REFLEXIÓN

Permanece firme y constante en la seguridad da la verdad el Evangelio de Cristo. Cuidado con las enseñanzas que traigan confusión, y aléjate de los individuos que te puedan influir hacia otro evangelio.

ORACIÓN DE ARRANQUE

Mi Abba y mi Rey, ayúdame a permanecer firme y constante en la seguridad de Tu Palabra y Tu guía. Protégeme contra los engañazo y la confusión que pueden crear en mi mente ciertos individuos. Gracias por relevarme a Tu hijo Jesucristo. Ahora dame fuerza para no consultar con nadie, solamente con Tu Palabra, y a predicar solamente el evangelio de Cristo.

MI REACCIÓN Y MI ORACIÓN

Febrero 11

LA ESCRITURA DE HOY

2 Corintios 4:7

[7] Ahora tenemos esta luz que brilla en nuestro corazón, pero nosotros mismos somos como frágiles vasijas de barro que contienen este gran tesoro. Esto deja bien claro que nuestro gran poder proviene de Dios, no de nosotros mismos.

SABIDURÍA Y REFLEXIÓN

Deja que el amor de Jesucristo se manifieste en todo lo que haces, incluso en tu cuerpo. No ames las obras o causas que hagas a nombre de Dios, sino a Él mismo. Las obras y las causas son buenas, pero el amor a ellas te fallará.

ORACIÓN DE ARRANQUE

Mi Abba y mi Rey, ayúdame a mostrar amor en todo lo que digo y hago. Abre la puerta de mi corazón para poder amar como Tú lo ordenas. Ayúdame a dejar que el amor de Jesucristo se manifieste en mi cuerpo, y dame madurez para no amar ninguna causa Tuya, sino a Ti mismo.

MI REACCIÓN Y MI ORACIÓN

LA ESCRITURA DE HOY

Salmos 118:8

[8] Es mejor refugiarse en el Señor
que confiar en la gente.

SABIDURÍA Y REFLEXIÓN

Refúgiate en Dios porque es mejor que confiar en el hombre, y porque
Él está lleno de gracia, bondad, amor y paciencia.

ORACIÓN DE ARRANQUE

Mi Abba y mi Rey, te adoro porque Tú estás lleno de gracia y bondad,
amor y paciencia. En Ti confío completamente y me refugio contra los
ataques del diablo y de este mundo. Mi fe en Ti se mantiene.

MI REACCIÓN Y MI ORACIÓN

Febrero 13

LA ESCRITURA DE HOY

Juan 14:13

[13] Pueden pedir cualquier cosa en mi nombre, y yo la haré, para que el Hijo le dé gloria al Padre.

SABIDURÍA Y REFLEXIÓN

Ora en intercesión por los demás en nombre de Jesucristo. Hazlo continuamente, porque estás convencido que Él oye todas tus oraciones y hará cualquier cosa que tu pidas en Su nombre.

ORACIÓN DE ARRANQUE

Mi Abba y mi Rey, gracias por Tu promesa de oír todas mis peticiones, y de hacer lo que yo Te pida. Dame la pasión para estar constantemente orando con peticiones en el nombre de Jesucristo a Ti. Ayúdame también a tener la necesaria convicción en Tu promesa, y suficiente amor para orar en intercesión por otros.

MI REACCIÓN Y MI ORACIÓN

LA ESCRITURA DE HOY

Juan 7:38

[38] ¡Todo el que crea en mí puede venir y beber! Pues las Escrituras declaran: "De su corazón, brotarán ríos de agua viva".

SABIDURÍA Y REFLEXIÓN

Permite que Jesús se manifieste en tu vida en todo lo que haces, y en todo lo que dices, como si estuvieran brotando ríos de agua viva desde tu corazón.

ORACIÓN DE ARRANQUE

Mi Abba y mi Rey, ayúdame a no poner en duda Tus caminos, y a tener la misma confianza y el aliento que tenía cuando primero Te conocí y cuando estaba maravillado cuando vi Tus obras hermosas. Mi Dios, quiero ser útil para Tu Gloria. Padre Santo, dame madurez y la necesaria convicción para permitir que Tu te manifiestes a otros por medio de mi ser.

MI REACCIÓN Y MI ORACIÓN

Febrero 15

LA ESCRITURA DE HOY

Salmos 86:3

³ Ten misericordia de mí, oh Señor,
porque a ti clamo constantemente.

SABIDURÍA Y REFLEXIÓN

Ora e invoca a Dios continuamente, porque Él es bueno. Grande es Su amor por ti, porque Él siempre responde.

ORACIÓN DE ARRANQUE

Mi Abba y mi Rey, Te necesito a toda hora porque Tú eres bueno y perdonador. Grande es Tu amor por mí. Señor Jesús, gracias por prometerme Tu presencia, y por prestarle oído a mis oraciones. Compadécete, Señor, de mi, porque a Ti clamo todo el día.

MI REACCIÓN Y MI ORACIÓN

Febrero 16

LA ESCRITURA DE HOY

Juan 6:66

[66] A partir de ese momento, muchos de sus discípulos se apartaron de él y lo abandonaron.

SABIDURÍA Y REFLEXIÓN

Acepta que solamente Dios tiene el poder de conceder. Acepta también la verdad del evangelio y fija tu determinación en Jesucristo.

ORACIÓN DE ARRANQUE

Mi Abba y mi Rey, consciente y voluntariamente acepto la verdad de Tu Palabra. Ayúdame a ofrecerte todo lo que tengo y aceptar que solamente Tú tienes el poder de conceder. Padre Santo, incrementa mi fe, para cambiar mi voluntad y fijarla con determinación en Jesús.

MI REACCIÓN Y MI ORACIÓN

Febrero 17

LA ESCRITURA DE HOY

Gálatas 3:26

²⁶ Pues todos ustedes son hijos de Dios por la fe en Cristo Jesús.

SABIDURÍA Y REFLEXIÓN

Dale gracias a Dios por Su plan de promesas para todo hombre y toda mujer que cree y se rinda voluntariamente a Él. Alaba al Señor por la simpleza de Su plan de salvar gratuitamente a todos los que sean bautizados en Cristo.

ORACIÓN DE ARRANQUE

Mi Abba y mi Rey, gracias por Tu gran plan y sabiduría de salvación mediante la fe en Tu hijo Jesucristo. Entiendo Tu plan de promesas para todo hombre y toda mujer que cree y se rinda voluntariamente. ¡Gracias por dejarme ser un miembro de Tu familia!

MI REACCIÓN Y MI ORACIÓN

Febrero 18

LA ESCRITURA DE HOY

Romanos 10:9

[9] Si confiesas con tu boca que Jesús es el Señor y crees en tu corazón que Dios lo levantó de los muertos, serás salvo.

SABIDURÍA Y REFLEXIÓN

Ora por los miembros de tu familia y por tus amigos, para que sean unidos a Cristo por fe, y reciban la justicia de Dios.

ORACIÓN DE ARRANQUE

Mi Abba y mi Rey, gracias por la simple formula que Tu nos presentas para la salvación, y después, por imputarme Tu justicia y por destruir la personalidad de pecado. Padre Santo, oro por mi familia y mis amigos que no Te conozcan. Dios, oro que Te crean con su corazón para ser santificados, y que con la boca Te confiesen pare ser salvos.

MI REACCIÓN Y MI ORACIÓN

LA ESCRITURA DE HOY

Gálatas 6:1

Siempre cosechamos lo que sembramos

[6] Amados hermanos, si otro creyente está dominado por algún pecado, ustedes, que son espirituales, deberían ayudarlo a volver al camino recto con ternura y humildad. Y tengan mucho cuidado de no caer ustedes en la misma tentación.

SABIDURÍA Y REFLEXIÓN

Entierra tu orgullo y ten una actitud humilde, pues Dios lo aborrece, y no tolerará este mal en pecadores o en santos.

ORACIÓN DE ARRANQUE

Mi Abba y mi Rey, perdóname si tiendo a menospreciar y degradar a otros. Dame la necesaria sabiduría para ayudar a mis hermanos en Cristo a llevar sus cargas, porque pueden ser tentados Cristo, ayúdame contra mi propensa al orgullo espiritual que tiende a poner una barrera entre yo y los demás. Padre de la gloria, fomenta en mí una actitud humilde para ser más abierto con los demás.

MI REACCIÓN Y MI ORACIÓN

LA ESCRITURA DE HOY

Romanos 12:1

Sacrificio vivo para Dios

[12] Por lo tanto, amados hermanos, les ruego que entreguen su cuerpo a Dios por todo lo que él ha hecho a favor de ustedes. Que sea un sacrificio vivo y santo, la clase de sacrificio que a él le agrada. Esa es la verdadera forma de adorarlo.

SABIDURÍA Y REFLEXIÓN

Deja que Dios te transforme a ser más como el Padre y menos como los hijos. Se un reflejo de Jesucristo en todo lo que hagas.

ORACIÓN DE ARRANQUE

Mi Abba y mi Rey, ayúdame a que te deje transformarme a ser más como el Padre y menos como los hijos, y ha ser un reflejo de Jesucristo en todo lo que hago. Gracias por Tu misericordia hacia mí, un pecador. Gracias que Tu voluntad hacia mi es buena, agradable y perfecta. Padre Santo, hoy Te ofrezco mi cuerpo como sacrificio vivo y santo.

MI REACCIÓN Y MI ORACIÓN

LA ESCRITURA DE HOY

1 Corintios 15:57

[57] ¡Pero gracias a Dios! Él nos da la victoria sobre el pecado y la muerte por medio de nuestro Señor Jesucristo.

SABIDURÍA Y REFLEXIÓN

Mantente firme y progresando siempre en la obra del Señor. Sé consciente que tu trabajo en la misión de Dios no es en vano.

ORACIÓN DE ARRANQUE

Mi Abba y mi Rey, reclamo la victoria en virtud de lo que Jesucristo hizo en la cruz por mí. Ayúdame a mantenerme firme, progresando siempre en la obra del Señor. Dios, lo importante para Ti son las almas perdidas; Tu misión es salvarlos a todos de la oscuridad de no conocer a Jesucristo. Dame fuerza para no desmayar y pensar que mi trabajo en Tu misión, sea el que sea, es en vano.

MI REACCIÓN Y MI ORACIÓN

LA ESCRITURA DE HOY

Santiago 4:4

[4] ¡Adúlteros! ¿No se dan cuenta de que la amistad con el mundo los convierte en enemigos de Dios? Lo repito: si alguien quiere ser amigo del mundo, se hace enemigo de Dios.

SABIDURÍA Y REFLEXIÓN

Aprende a ser amigo de Jesús y enemigo de las emociones y los engaños de este mundo.

ORACIÓN DE ARRANQUE

Mi Abba y mi Rey, ayúdame a ser Tu amigo verdadero, y a ser enemigo del mundo. Ayúdame a alejarme de todos los engaños y emociones del mundo, los cuales son enemigos de Ti. Enséñame ser Tu amigo.

MI REACCIÓN Y MI ORACIÓN

Febrero 23

LA ESCRITURA DE HOY

Juan 16:13

[13] Cuando venga el Espíritu de verdad, Él los guiará a toda la verdad. Él no hablará por su propia cuenta, sino que les dirá lo que ha oído y les contará lo que sucederá en el futuro.

SABIDURÍA Y REFLEXIÓN

Escucha al Espíritu Santo. Él te revelará cuales es el obstáculo que este interfiriendo con tu relación con Jesucristo. Y Él te guiará a toda la verdad.

ORACIÓN DE ARRANQUE

Mi Abba y mi Rey, quebranta mi voluntad obstinada, bendito Espíritu Santo, y haz lo que quieras en mi vida. Guíame a toda la verdad y revélame claramente cualquier obstáculo que exista en mi vida que interfiera en mi comunicación y relación con Jesucristo. Ayúdame, Dios todo poderoso; dame fe para tener confianza completa en Ti, y así obedecerte totalmente.

MI REACCIÓN Y MI ORACIÓN

LA ESCRITURA DE HOY

Hechos 17:24

24 Él es el Dios que hizo el mundo y todo lo que hay en él. Ya que es el Señor del cielo y de la tierra, no vive en templos hechos por hombres.

SABIDURÍA Y REFLEXIÓN

Conversa con Él dónde quiera que estés. Ten confianza que Él se encuentra en todos los rincones de este mundo.

ORACIÓN DE ARRANQUE

Mi Abba y mi Rey, que paz me da en saber que mi salvación, y la de mi familia y mis amigos, atraviesa todos mis problemas, y hasta la misma muerte. ¡Padre Santo, gracias que Te puedo encontrar, y conversar contigo, en todos los rincones del mundo!

MI REACCIÓN Y MI ORACIÓN

Febrero 25

LA ESCRITURA DE HOY

Filipenses 3:3

³ Pues los que adoramos por medio del Espíritu de Dios somos los verdaderos circuncisos. Confiamos en lo que Cristo Jesús hizo por nosotros. No depositamos ninguna confianza en esfuerzos humanos

SABIDURÍA Y REFLEXIÓN

Deposita todo tu orgullo en Cristo Jesús, y no en ninguna virtud, ganancia, o "suerte" que tengas. Y pon toda tu confianza en Él.

ORACIÓN DE ARRANQUE

Mi Abba y mi Rey, todo lo que el mundo considera digno de elogios: la educación, personalidad digna de un príncipe, un nombre de familia fuerte, el poder, el dinero y la fama, son en realidad perdida, porque me alejan de Ti. Padre Santo, mi orgullo es Cristo Jesús, en quien pongo toda mi confianza.

MI REACCIÓN Y MI ORACIÓN

LA ESCRITURA DE HOY

Lucas 14:27

[27] Además, si no cargas tu propia cruz y me sigues, no puedes ser mi discípulo.

SABIDURÍA Y REFLEXIÓN

Renuncia a todos tus bienes. Renuncia tu derecho a ti mismo. Renuncia los celos, el mal humor, y todo lo otro que no te identifique como un discípulo de Jesucristo.

ORACIÓN DE ARRANQUE

Mi Abba y mi Rey, ayúdame a aceptar mi cruz por Ti en los días y los meses que me quedan de este año. Dios, yo entiendo que para ser Tu discípulo necesito: renunciar a todos mis bienes, amar a mi prójimo, renunciar a mi ego y mi satisfacción personal, pues no me pertenezco a mí mismo, sino que Jesús es el primer orden de mi vida.

MI REACCIÓN Y MI ORACIÓN

Febrero 27

LA ESCRITURA DE HOY

Romanos 2:1

Juicio de Dios contra el pecado

[1] Tal vez crees que puedes condenar a tales individuos, pero tu maldad es igual que la de ellos, ¡y no tienes ninguna excusa! Cuando dices que son perversos y merecen ser castigados, te condenas a ti mismo porque tú, que juzgas a otros, también practicas las mismas cosas.

SABIDURÍA Y REFLEXIÓN

No juzgues a nadie porque todos somos capaces de hacer lo mismo si no es por la Gracia de Dios. Ora para que Dios te de más paciencia con los demás, para que seas mas amable con las personas, para que no seas precipitado en tus juicios, y para que seas menos envidioso.

ORACIÓN DE ARRANQUE

Mi Abba y mi Rey, alabado seas Tu, Dios todopoderoso, por la gracia que me has concedido. Padre Santo, yo sé que soy capaz de hacer cualquier cosa y de caer en el peor de los pecados. Pero solamente Tu gracia me protege contra esa calamidad. Padre, ayúdame a no manifestar una conducta carnal en mi vida; siempre descubriendo defectos y pecados en otros para sentirme más orgulloso y excusar mis pecados y mis defectos. Dios, protégeme también contra la envidia.

MI REACCIÓN Y MI ORACIÓN

LA ESCRITURA DE HOY

Filipenses 4:8

^{8} Y ahora, amados hermanos, una cosa más para terminar. Concéntrense en todo lo que es verdadero, todo lo honorable, todo lo justo, todo lo puro, todo lo bello y todo lo admirable. Piensen en cosas excelentes y dignas de alabanza.

SABIDURÍA Y REFLEXIÓN

Sé un santo. Ora en toda ocasión, y manifiesta la gloria de Dios en su vida. Eso solamente ocurriría porque siempre estarías presentándole tus peticiones a Dios y dándole gracias, y haciendo todo lo justo, y todo lo amable, y todo lo digno, y todo lo puro.

ORACIÓN DE ARRANQUE

Mi Abba y mi Rey, ayúdame a no inquietarme por nada; mas bien, ayúdame a presentarte mis peticiones con oraciones y dándote gracias, para que Tu paz reine en mi corazón y en mis pensamientos. Padre, ayúdame también a discernir espiritualmente, para axial caminar en Tu gloria. Dios mío, te pido que ilumines el paseo de mi vida haciendo todo lo justo, todo lo amable, todo lo digno y todo lo puro.

MI REACCIÓN Y MI ORACIÓN

LA ESCRITURA DE HOY

Mateo 10:22

22 Todas las naciones los odiarán a ustedes por ser mis seguidores, pero todo el que se mantenga firme hasta el fin será salvo.

SABIDURÍA Y REFLEXIÓN

Se una persona sencilla y simple. No seas complicado ni exigente por muchas cosas. Pero se astuto y alerta a las cosas de Dios.

ORACIÓN DE ARRANQUE

Mi Abba y mi Rey, ayúdame a ser sencillo pero también astuto. Ayúdame a discernir espiritualmente cuando las cosas lucen oscuras y difíciles. Háblame, Señor, aún en medio de las circunstancias oscuras de mi vida. Protégeme, Padre santo, con la sangre de Jesucristo, contra el que puede matar mi alma.

MI REACCIÓN Y MI ORACIÓN

LA ESCRITURA DE HOY

Juan 10:27

[27] Mis ovejas escuchan mi voz; yo las conozco, y ellas me siguen.

SABIDURÍA Y REFLEXIÓN

No descanses y mantente preparado y siempre alerta para que puedas oír las enseñanzas de Dios. Él te hablará con precisión y persuasión si te interesa escucharle.

ORACIÓN DE ARRANQUE

Mi Abba y mi Rey, he oído Tu voz muchas veces. Tu Palabra es siempre una fuente de fortaleza para mí. Gracias, Dios, por mantener mi lámpara encendida durante mis tinieblas; dame luz en las áreas de mi vida que están oscuras. Padre Santo, háblame en voz alta para guiarme en el camino correcto.

MI REACCIÓN Y MI ORACIÓN

Marzo 2

LA ESCRITURA DE HOY

Juan 15:14

[14] Ustedes son mis amigos si hacen lo que yo les mando.

SABIDURÍA Y REFLEXIÓN

Sé el mejor amigo de Jesús, siempre haciendo lo que hacen los amigos; conversando y ligado a las cosas más profundas y personales del uno y del otro. Y listo para hacer lo que Él mande.

ORACIÓN DE ARRANQUE

Mi Abba y mi Rey, gracias por ser mi amigo personal. Ayúdame a incrementar nuestra amistad, ligándote con las cosas más profundas y fundamentales de mi vida, para así mantener mi vida cristiana fresca y llena de vigor y entusiasmo. Padre Santo, dame deseo de hacer lo que Tú mandes.

MI REACCIÓN Y MI ORACIÓN

Marzo 3

LA ESCRITURA DE HOY

Juan 6:27

27 No se preocupen tanto por las cosas que se echan a perder, tal como la comida. Pongan su energía en buscar la vida eterna que puede darles el Hijo del Hombre. Pues Dios Padre me ha dado su sello de aprobación.

SABIDURÍA Y REFLEXIÓN

Ten un corazón despreocupado, mirando siempre hacia Jesús, para que puedas realizar el trabajo que Dios hace por medio de ti provechoso.

ORACIÓN DE ARRANQUE

Mi Abba y mi Rey, perdóname por haber pensado que soy autosuficiente en la obra que hago por Ti. Te pido que me des un toque fresco de bendición espiritual. Recuérdame que no es el trabajo que yo hago para Ti, sino el trabajo que yo permito que Tu hagas por medio de mí lo que cuenta. Padre, permíteme tener un corazón despreocupado, mirando siempre hacia Jesús, para poder realizar un trabajo provechoso.

MI REACCIÓN Y MI ORACIÓN

LA ESCRITURA DE HOY

Juan 1:3

[3] Dios creó todas las cosas por medio de él,
y nada fue creado sin él.

SABIDURÍA Y REFLEXIÓN

Este completamente seguro de que ni una hoja de un árbol se mueve,
si no fuera por la voluntad de Dios

ORACIÓN DE ARRANQUE

Mi Abba y mi Rey, oro que yo siempre refleje Tu imagen como nueva
creación en Cristo. Dame sabiduría para reconocer que ni una hoja de
se mueve si no fuera por Tu voluntad. Crea en mí un ser más parecido
a Jesús cada día.

MI REACCIÓN Y MI ORACIÓN

LA ESCRITURA DE HOY

1 Juan 4:17

[17] y al vivir en Dios, nuestro amor crece hasta hacerse perfecto. Por lo tanto, no tendremos temor en el día del juicio, sino que podremos estar ante Dios con confianza, porque vivimos como vivió Jesús en este mundo.

SABIDURÍA Y REFLEXIÓN

Vive en este mundo como vivió Jesucristo, manifestando siempre el amor hacia todos. Porque Dios te ama y Dios es amor.

ORACIÓN DE ARRANQUE

Mi Abba y mi Rey, crea en mí una persona que manifiesta plenamente el amor. Espíritu de Dios abre mi corazón para poder entender que Tú me amas, y que Tú eres amor. Padre santo, yo quiero ser como tu hijo. Crea en mí una persona santificada con el carácter y la imagen de Jesucristo. Ayúdame a dejar que Tú lleves a cabo Tu creación en mí, para que yo pueda manifestar Tu amor.

MI REACCIÓN Y MI ORACIÓN

LA ESCRITURA DE HOY

Isaías 45:15

[15] Verdaderamente, oh Dios de Israel, Salvador nuestro,
tú obras de manera misteriosa.

SABIDURÍA Y REFLEXIÓN

No permitas que tu dolor o tu sufrimiento se manifiesten en
resentimiento hacia Dios. Acuérdate que como hijos de Dios, Él nos
hace atravesar circunstancias extrañas y misteriosas.

ORACIÓN DE ARRANQUE

Mi Abba y mi Rey, acepto lo que Tú permitas que venga a mi vida
porque Tú eres todo soberano. Padre Celestial, ayúdame aceptar las
circunstancias extrañas que abecés atraviesan mi vida; dame sabiduría
para siempre depender de Ti y nunca del compadecer humano. Mi Dios
y mi salvador, dame la luz de Tus palabras para entenderte más
claramente. Padre Santo, oro que nadie sienta resentimiento hacia Ti
porque compadezcan de mí, por mis sufrimientos.

MI REACCIÓN Y MI ORACIÓN

LA ESCRITURA DE HOY

Isaías 45:3

³ Te daré tesoros escondidos en la oscuridad,
riquezas secretas.
Lo haré para que sepas que yo soy el Señor,
Dios de Israel, el que te llama por tu nombre.

SABIDURÍA Y REFLEXIÓN

Cuando el Dios soberano te traiga una revelación asombrosa debes de
compartir tu experiencia y tu milagro con otras personas, para que así
conozcan al Dios de Israel y no piensen que sucedió por causa tuya,
"suerte" o coincidencia.

ORACIÓN DE ARRANQUE

Mi Abba y mi Rey, acepto Tu palabra y las circunstancias que resultan
de Tus intenciones con mi vida. Yo entiendo que Tú creas circunstancias
en mi vida para relevar los tesoros que tienes escondidos y muy
guardados para que yo Te conozca mejor. Ayúdame a creer y espera
por Tus milagros y a compartirlos con otras personas, para que así no
me den el crédito o piensen que no fue por causa de Tu providencia.

MI REACCIÓN Y MI ORACIÓN

LA ESCRITURA DE HOY

Marcos 6:50

^{50} Todos quedaron aterrados al verlo.

Pero Jesús les habló de inmediato: «¡Tengan ánimo! ¡Yo estoy aquí! ¡No tengan miedo!».

SABIDURÍA Y REFLEXIÓN

Adquiere sabiduría, leyendo la Palabra de Dios, orando y meditando en Él, y así estés listo, tengas fuerza para cuando vengan las tormentas y las crisis de esta vida.

ORACIÓN DE ARRANQUE

Mi Abba y mi Rey, gracias por permitir crisis en mi vida para que Tú Te puedas relevar. Ayúdame con mis emociones y dame sabiduría para colocar todo esto, en la base de Tu cruz donde Tú Te encargas de todo, y así poder estar fuerte en Ti durante la crisis. Padre Santo, Tú eres mi Dios, en Ti busco fuerza y refugio.

MI REACCIÓN Y MI ORACIÓN

Marzo 9

LA ESCRITURA DE HOY

Juan 14:26

[26] Sin embargo, cuando el Padre envíe al Abogado Defensor como mi representante —es decir, al Espíritu Santo—, él les enseñará todo y les recordará cada cosa que les he dicho.

SABIDURÍA Y REFLEXIÓN

Sé una persona sensata; practica lo que enseñas, lo que has leído y aprendido de la Palabra relevada de Dios. Y ten mucho cuidado con representar a Jesucristo, pero enseñar o manifestar otro evangelio en tu vida diaria.

ORACIÓN DE ARRANQUE

Mi Abba y mi Rey, ayúdame a poner en práctica todo lo que he leído y aprendido de Tu palabra. Ayúdame a prestarle atención a las coscas que Tú me has enseñado desde el principio. Dame sabiduría para entender Tu dirección, y permite la intervención de Tu Espíritu para que me enseñe y me ayude a recordar todo lo que me has dicho. Protégeme, Padre Santo, de las tendencias a representar a Jesucristo y Su evangelio, pero manifestar otro evangélico en mi vida diaria.

MI REACCIÓN Y MI ORACIÓN

LA ESCRITURA DE HOY

Isaías 30:21

[21] Tus oídos lo escucharán.
Detrás de ti, una voz dirá:
«Este es el camino por el que debes ir»,
ya sea a la derecha o a la izquierda.

SABIDURÍA Y REFLEXIÓN

Abre tus oídos, prepara las condiciones para que puedas oír las instrucciones de Dios.

ORACIÓN DE ARRANQUE

Mi Abba y mi Rey, ayúdame a no vacilar nunca en emprender el camino del deber que Tú me pones delante para que lo recorra. Ayúdame a permitir que Tú obres por medio de mí, y dame sabiduría para no caer en la trampa de pensar que yo estoy construyendo la gran obra y que soy tan importante. Padre Santo, también dame la sabiduría necesaria para preparar las condiciones para poder oír Tus instrucciones.

MI REACCIÓN Y MI ORACIÓN

Marzo 11

LA ESCRITURA DE HOY

Juan 15:7

[7] Si ustedes permanecen en mí y mis palabras permanecen en ustedes, pueden pedir lo que quieran, ¡y les será concedido!

SABIDURÍA Y REFLEXIÓN

Permite que el Espíritu Santo aplique la Palabra de Dios a tus circunstancias y a tu carácter, y que seas dirigido en realidad por Dios.

ORACIÓN DE ARRANQUE

Mi Abba y mi Rey, levanto hacia Ti todas mis circunstancias y pido que mandes a Tu Espíritu para que me que ayude a oír mejor, y para que me ayude a entender Tu palabra. Aplica Tu palabra en las circunstancias de mi vida y enséñame a manifestar Tu voluntad en todo lo que hago. Ayúdame también a permanecer en Ti, y tener la disciplina de que Tus palabras permanezcan en mí. Dios, mi deseo es que Tú seas glorificado en todo lo que yo hago.

MI REACCIÓN Y MI ORACIÓN

Marzo 12

LA ESCRITURA DE HOY

Gálatas 3:11

[11] Queda claro, entonces, que nadie puede hacerse justo ante Dios por tratar de cumplir la ley, ya que las Escrituras dicen: «Es por medio de la fe que el justo tiene vida».

SABIDURÍA Y REFLEXIÓN

Dedícate a Dios y no a los símbolos visibles. Aprende a caminar solamente por fe en Dios.

ORACIÓN DE ARRANQUE

Mi Abba y mi Rey, es más fácil para mí andar por vista, pero enséñame a andar contigo por fe. Dame la luz para recibir Tu Espíritu y no tratar de ganar Tus gracias por mi trabajo o por la ley. Ayúdame a dedicarme a Ti y no a la religión. Padre Celestial, enséñame a caminar solamente por fe en Ti.

MI REACCIÓN Y MI ORACIÓN

Marzo 13

LA ESCRITURA DE HOY

Salmos 103:7

7 Dio a conocer su carácter a Moisés
y sus obras al pueblo de Israel.

SABIDURÍA Y REFLEXIÓN

Permite que Dios trabaje solo. No hagas tus propios planes y entonces le pidas a Dios que los bendiga, después que ya usaste tu propia inteligencia y cálculos fundamentalmente humanos.

ORACIÓN DE ARRANQUE

Mi Abba y mi Rey, Tu debes crecer y yo menguar en el corazón y la mente de los que están a mí alrededor. Ayúdame a confiar en Ti con todo mi corazón. Enséñame Tus caminos para así poder hacer Tu voluntad. Protégeme contra mi tendencia a crear mis propios planes y entonces pedirte que los bendigas. Dame a conocer Tu dirección y revélame Tus obras.

MI REACCIÓN Y MI ORACIÓN

LA ESCRITURA DE HOY

Salmos 31:3

³ Tú eres mi roca y mi fortaleza;
por el honor de tu nombre, sácame de este peligro.

SABIDURÍA Y REFLEXIÓN

Echa la acumulación de tus problemas sobre Él. Lleva tus cargas a Él.
Busca refugio en la presencia permanente de Dios. Pídele a Dios que te
guíe y que te dirija por amor a Su nombre.

ORACIÓN DE ARRANQUE

Mi Abba y mi Rey, en Ti confió completamente. Sé Tu mi roca
protectora y mi fortaleza. O Rey Eterno, hoy estoy echando la
acumulación de todos mis problemas sobre Ti; porque en Ti confió.
Padre Eterno, inclina a mi Tu oído, y acude pronto a socorrerme; en Tú
justicia líbrame. Guárdame en completa paz y guíame en todo lo que
hago; dirígeme y sé Tú mi protector y mi socorro.

MI REACCIÓN Y MI ORACIÓN

Marzo 15

LA ESCRITURA DE HOY

1 Pedro 1:5

[5] Por la fe que tienen, Dios los protege con su poder hasta que reciban esta salvación, la cual está lista para ser revelada en el día final, a fin de que todos la vean.

SABIDURÍA Y REFLEXIÓN

Quítate las esposas del diablo y diga: "Con Cristo estoy crucificado." Tu carácter, no tus emociones, te guardarán y te sostendrán por el poder de Dios cuando el diablo dirija hacia ti sus ataques para infligirte toda clase de derrota, emocionales.

ORACIÓN DE ARRANQUE

Mi Abba y mi Rey, Tu seguridad, en medio de mis emociones turbulentas, es la roca en que me afirmo. Gracias por Tu protección en todo momento contra el diablo, el cual siempre trata de atacar mis emociones. Padre Santo, yo me opongo al diablo y todas sus actividades y sus trucos, y me sostengo por el poder del Dios y por la sangre de Jesucristo, la cual derramó por mí en la cruz de salvación.

MI REACCIÓN Y MI ORACIÓN

Marzo 16

LA ESCRITURA DE HOY

Marcos 12:30-31

[30] Amarás al SEÑOR tu Dios con todo tu corazón, con toda tu alma, con toda tu mente y con todas tus fuerzas". [31] El segundo es igualmente importante: "Amarás a tu prójimo como a ti mismo". Ningún otro mandamiento es más importante que éstos.

SABIDURÍA Y REFLEXIÓN

Ama a Dios y a tu prójimo como a ti mismo esa es la verdadera medida de tu santidad. Medita y reflexiona sobre tu conducta y tu compromiso con los mandamientos.

ORACIÓN DE ARRANQUE

Mi Abba y mi Rey, yo deseo obedecerte en todos Tus mandamientos. Ayúdame a amar a los demás y a no guardar rencor, ni a tener una mala actitud contra nadie. Dios mío, yo deseo amarte con toda mi alma, con toda mi mente, y con toda mi fuerza.

MI REACCIÓN Y MI ORACIÓN

Marzo 17

LA ESCRITURA DE HOY

Marcos 14:29

²⁹ Pedro le dijo: —Aunque todos te abandonen, yo jamás lo haré.

SABIDURÍA Y REFLEXIÓN

Acepta la invitación de Jesús de querer poseerte. Él quiere que seas Suyo. Abandona todas las profesiones y todos los trabajos y dedícate al crecimiento de tu relación personal con Cristo, con el objetivo de ser completamente de Él.

ORACIÓN DE ARRANQUE

Mi Abba y mi Rey, ayúdame a ser uno contigo. Enséñame como dedicarme y disciplinarme a ser completamente tuyo. Padre, guía mi vida para que diariamente yo me esté apareciendo más y más a Jesucristo, en lo que pienso, en lo que digo, y en mis acciones.

MI REACCIÓN Y MI ORACIÓN

Marzo 18

LA ESCRITURA DE HOY

Proverbios 4:23

²³ Sobre todas las cosas cuida tu corazón,
porque éste determina el rumbo de tu vida.

SABIDURÍA Y REFLEXIÓN

Cuídate de la vida que llevas y el ambiente que estas creando. Toma
inventario de tu trabajo, tus amigos, lo que lees, y con quién andas.
Ahora mismo decide si tú quieres ser una bendición o una frustración
para los que te conocen. Ahora mismo decide también si quieres vivir la
vida de un Santo Cristiano.

ORACIÓN DE ARRANQUE

Mi Abba y mi Rey, cuida mi corazón contra todo lo que sea malo o
perverso en Tus ojos. Padre Santo, crea en mí un carácter virtuoso.
Ayúdame de modo que mis motivos, las palabras de mi boca y las
meditaciones de mi corazón y de mis sueños sean agradables en Tu
vista. Cuida también mis ojos, no permitas que mire para la izquierda o
para la derecha. Ayúdame a ir por el camino directo y aléjame de la
maldad. Jehová, ayúdame también a ser más compasivo y a
transformarme de los hijos al padre.

MI REACCIÓN Y MI ORACIÓN

Marzo 19

LA ESCRITURA DE HOY

Hebreos 11:8-9

[8] Fue por la fe que Abraham obedeció cuando Dios lo llamó para que dejara su tierra y fuera a otra que él le daría por herencia. Se fue sin saber adónde iba. [9] Incluso cuando llegó a la tierra que Dios le había prometido, vivió allí por fe, pues era como un extranjero que vive en carpas de campaña. Lo mismo hicieron Isaac y Jacob, quienes heredaron la misma promesa.

SABIDURÍA Y REFLEXIÓN

Mantén una vida por la fe en Dios, nunca sabiendo donde te está mandando. Deja que Dios controle tu razonamiento y tus pensamientos. Crea una relación personal con Él, dedicando el tiempo necesario. Entonces lo conocerás mejor, y tendrás confianza en Él.

ORACIÓN DE ARRANQUE

Mi Abba y mi Rey, gracias por Tu presencia y por Tu guía diariamente, incluso en los detalles de mi vida. Padre Santo, protégeme de la sabiduría de este mundo que insiste que le ponga atención y obedezca a los razonamientos humanos. Señor, yo deseo tener una relación íntima contigo, como mi hermano, mi amigo, y mi padre. Mi deseo es poder manifestar mi fe en Ti caminando diariamente en obediencia a Tu llamado. Padre de la gloria, yo deseo una relación contigo tan apegada, que todo el que se me acerque pueda oler Tu aroma en mí.

MI REACCIÓN Y MI ORACIÓN

Marzo 20

LA ESCRITURA DE HOY

1 Corintios 10:12

¹² Si ustedes piensan que están firmes, tengan cuidado de no caer.

SABIDURÍA Y REFLEXIÓN

No te tomes demasiado en serio, y no estés tan seguro de ti mismo, porque entonces comenzarás a comportarte como si Él no pudiera hacer nada sin tu ayuda.

ORACIÓN DE ARRANQUE

Mi Abba y mi Rey, solo Tú eres grande en realidad. Perdóname cuando pienso que lo soy. Perdóname cuando también pienso que estoy firme y seguro con mi trabajo, mi posición, mi salud, y mi vida. Yo sé que Tú controlas todo esto. ¡Señor, yo tengo confianza en Ti, y en todo lo que Tú puedes hacer, que es todo!

MI REACCIÓN Y MI ORACIÓN

LA ESCRITURA DE HOY

1 Pedro 2:23

23 No respondía cuando lo insultaban
ni amenazaba con vengarse cuando sufría.
Dejaba su causa en manos de Dios,
quien siempre juzga con justicia.

SABIDURÍA Y REFLEXIÓN

Cuida tu corazón y analiza cómo vas a responder cuando estés sufriendo. Específicamente ten en cuenta: amenazas venenosas, y acciones malvadas, el sarcasmo, el cinismo, la calumnia, la maldad, y el mal genio. Recuerda que el verdadero examen es tu conducta en el medio de la crisis.

ORACIÓN DE ARRANQUE

Mi Abba y mi Rey, cuando yo sufra quiero sufrir como Tu, sin represalias ni espíritu rencoroso. Ayúdame a que mis sufrimientos no me condenen. Guíame para que mi corazón no responda con amenazas, acciones malvadas, sarcasmo, cinismo, calumnia, o con mal genio. Soberano Señor, permíteme estar tan cerca de Ti, a través de mi devoción diaria, que estaría lleno de confianza en Ti, y así pueda responder en medio de mis crisis personales igual que Jesús respondería.

MI REACCIÓN Y MI ORACIÓN

LA ESCRITURA DE HOY

Salmos 106:24-25

[24] El pueblo se negó a entrar en la agradable tierra,
porque no creían la promesa de que Dios los iba a cuidar.
[25] En cambio, rezongaron en sus carpas
y se negaron a obedecer al SEÑOR.

SABIDURÍA Y REFLEXIÓN

Durante tus sufrimientos, en medio de la crisis, no seas cobarde, ni egoísta, ni orgulloso, interesado y enfocado solamente en ti mismo. El aislamiento y el carácter taciturno producen una peligrosa personalidad que es totalmente orgullosa, cobarde, y consciente solamente de sí mismo. ¡Acaba y obedece a Dios en todo!

ORACIÓN DE ARRANQUE

Mi Abba y mi Rey, Protégeme contra una conducta y una personalidad egoísta, interesada solamente en sí mismo. Líbrame, durante mis sufrimientos, de tener un carácter taciturno (melancolizo, triste, reservado y silencioso), lo cual fermentaría el aislamiento más peligroso del orgullo, produciendo una clase de esfinge humana (o una persona misteriosa o enigmática), consciente solamente de sí mismo, y no de Ti. Padre de la gloria, enséñame a diferenciar entre la oración y la queja, a creer en Tus promesas, y a obedecerte y a alabarte en todo.

MI REACCIÓN Y MI ORACIÓN

LA ESCRITURA DE HOY

1 Pedro 4:19

[19] De modo que, si sufren de la manera que agrada a Dios, sigan haciendo lo correcto y confíenle su vida a Dios, quien los creó, pues él nunca les fallará.

SABIDURÍA Y REFLEXIÓN

Pídele a Dios que té de fuerza, y que te guié durante tus sufrimientos, según la voluntad de Dios. Entrégale tu alma al fiel Creador y sigue practicando el bien, y llevando a cabo actos de santidad.

ORACIÓN DE ARRANQUE

Mi Abba y mi Rey, dame fuerza para poder sostenerme durante las crisis que se introducen en mi vida según Tu voluntad. Mi Dios todo soberano, ayúdame a seguir practicando el bien y a llevar a cabo actos de santidad en el medio de mis sufrimientos. Padre Santo, yo sé que en mi propia fuerza yo no puedo hacer esto. Por lo tanto, Te entrego mi ser, para que Tu Espíritu me ayude y me guié durante mis sufrimientos.

MI REACCIÓN Y MI ORACIÓN

Marzo 24

LA ESCRITURA DE HOY

1 Pedro 5:7

[7] Pongan todas sus preocupaciones y ansiedades en las manos de Dios, porque él cuida de ustedes.

SABIDURÍA Y REFLEXIÓN

Deposita en Dios toda ansiedad cuando estés sufriendo según Su voluntad. Recuerda que estas sufriendo bajo el ojo vigilante del Creador soberano y fiel.

ORACIÓN DE ARRANQUE

Mi Abba y mi Rey, como Tu hijo en este mundo, encomiendo mi bienestar a Tu amoroso cuidado. Ayúdame a reconocer que Tú eres soberano, y fiel, y que todo mi sufrimiento es según Tu voluntad, lo cual Tú permites para cumplir Tu plan. Dios, Te entrego toda mi ansiedad y Te pido que me ayudes a practicar el dominio propio. Padre Santo, mantenme alerta al diablo quien ronda como un león buscando a quien devorar. Dios, yo tengo confianza que me restauraras y que me harás fuerte, firme y estable.

MI REACCIÓN Y MI ORACIÓN

LA ESCRITURA DE HOY

Juan 15:14

[14] Ustedes son mis amigos si hacen lo que yo les mando.

SABIDURÍA Y REFLEXIÓN

Cuida tu corazón para, que estés bien con Dios, y así tus sufrimientos te atraigan más hacia Dios, y lo llegues a conocer mejor. Dios es tu amigo si haces lo que Él te mande. Tu meta debe ser Dios mismo.

ORACIÓN DE ARRANQUE

Mi Abba y mi Rey, gracias por expresar Tu voluntad mediante el sufrimiento que permites en mi vida. Ayúdame a que mi corazón esté bien contigo, y que mis sufrimientos me atraigan más hacia Ti para llegar a conocerte mejor. Padre Santo, mi deseo es ser Tu amigo íntimo. Por lo tanto, yo quiero hacer lo que Tú mandes.

MI REACCIÓN Y MI ORACIÓN

Marzo 26

LA ESCRITURA DE HOY

1 Pedro 2:21

²¹ Pues Dios los llamó a hacer lo bueno, aunque eso signifique que tengan que sufrir, tal como Cristo sufrió por ustedes. Él es su ejemplo, y deben seguir sus pasos.

SABIDURÍA Y REFLEXIÓN

Cuida tu llamado y mantén una confianza total de que Dios cumplirá Su promesa. No te preocupes ni desconfíes de Dios cuando tu obra (la cual tú haces porque piensas que es tu llamado) parece estar en ruinas. Aprende a sobrellevar tus sufrimientos de manera voluntaria y vicaria por los demás, y sigue sus pasos.

ORACIÓN DE ARRANQUE

Mi Abba y mi Rey, gracias por Tu llamado. ¡Señor, la gloria, la majestad, el dominio y la autoridad Te pertenecen por todos los siglos, ahora y para siempre! Yo entiendo que esto es generalmente un proceso donde necesito participan con Jesús en sus sufrimientos y clamar al Señor con lágrimas. Padre de la gloria, incrementa mi fe en Ti para poder seguir Tus pasos con toda confianza. Enséñame como sobrellevar el sufrimiento de manera voluntaria y vicaria por los demás y de no preocuparme o desconfiar de Ti cuando mi obra cristiana parece estar en ruinas. Guárdame, Padre Santo, para que no caiga, y establéceme sin tacha y con alegría ante Tu gloriosa presencia. Amen.

MI REACCIÓN Y MI ORACIÓN

Marzo 27

LA ESCRITURA DE HOY

Colosenses 1:12,14

¹² Y den siempre gracias al Padre. Él los hizo aptos para que participen de la herencia que pertenece a su pueblo, el cual vive en la luz. ¹⁴ Quien compró nuestra libertad y perdonó nuestros pecados.

SABIDURÍA Y REFLEXIÓN

Camina en comunión con el Señor para que te haga conocer plenamente Su voluntad con toda sabiduría y comprensión espiritual. Así perseverarás con paciencia en toda situación.

ORACIÓN DE ARRANQUE

Mi Abba y mi Rey, ayúdame a conocer plenamente Tu voluntad con toda sabiduría y comprensión espiritual. Enséñame como dar fruto en mis buenas obras, y crecer en mi conocimiento de Ti. Dame fuerza para perseverar con paciencia en toda situación. Te alabo Señor, y Te doy gracias por crear todas las cosas en el cielo y en la tierra, visibles e invisibles. Tú eres el Alfa y el Omega. ¡Tú lo sabes todo!

MI REACCIÓN Y MI ORACIÓN

Marzo 28

LA ESCRITURA DE HOY

Mateo 18:11

Porque el Hijo del Hombre vino a salvar lo que se había perdidos.

SABIDURÍA Y REFLEXIÓN

Corta y arroja cualquier cosa que te haga pecar. Manifiesta tu cruz ante este mundo; demuestra que eres una persona santificada que no hace otra cosa que la voluntad de Dios.

ORACIÓN DE ARRANQUE

Mi Abba y mi Rey, gracias por el mensaje del calvario, y por la bendición de la salvación y la redención, que nos has apropiado mediante la fe en Jesucristo. Ayúdame a que ni mi mano, ni mis pies, ni mis ojos me hagan pecar contra Ti. Ayúdame a caminar contigo paso por paso. Mi Dios, enséñame como hacer Tu voluntad y como avanzar en mi santificación, para poder manifestar Tú cruz ante este mundo.

MI REACCIÓN Y MI ORACIÓN

Marzo 29

LA ESCRITURA DE HOY

Romanos 8:17

[17] Así que como somos sus hijos, también somos sus herederos. De hecho, somos herederos junto con Cristo de la gloria de Dios; pero si vamos a participar de su gloria, también debemos participar de su sufrimiento.

SABIDURÍA Y REFLEXIÓN

Busca unidad con el Espíritu de Dios, siempre actuando con toda reverencia y la más profunda humildad. Cuando estés lleno del Espíritu del Dios vivo, podrás ser uno en santidad, uno en amor y uno para siempre con Dios y podrás clamar "¡Abba! ¡Padre!"

ORACIÓN DE ARRANQUE

Mi Abba y mi Rey, ayúdame a recordar que mis sufrimientos son parte de Tu voluntad; ayúdame también a actuar y vivir como un coheredero con Cristo. Manda a Tu Espíritu a darle muerte a los malos hábitos de mi cuerpo y a mi naturaleza pecaminosa. Lléname de Tu Espíritu para ser uno en santidad, uno en amor y uno para siempre contigo para poder clamar "¡Abba! ¡Padre!"

MI REACCIÓN Y MI ORACIÓN

Marzo 30

LA ESCRITURA DE HOY

1 Corintios 1:18

La sabiduría de Dios

¹⁸ ¡El mensaje de la cruz es una ridiculez para los que van rumbo a la destrucción! Pero nosotros, que vamos en camino a la salvación, sabemos que es el poder mismo de Dios.

SABIDURÍA Y REFLEXIÓN

Aprende a predicar el evangelio sin discursos de sabiduría humana, sino usando solamente el mensaje simple y sabio del mensajero, para que Dios pueda hacer lo que Él quiera mediante todo aquel que se los permita.

ORACIÓN DE ARRANQUE

Mi Abba y mi Rey, enséñame a predicar el evangelio sin discursos de sabiduría humana, sino usando solamente el mensaje simple y sabio del mensajero, y sin pedir señales milagrosas. Padre Celestial, ayúdame a permitir que Tu hagas lo que Tú quieras mediante mi vida y mediante la vida de todo aquel que Te lo permita.

MI REACCIÓN Y MI ORACIÓN

LA ESCRITURA DE HOY

Lucas 18:34

[34] Sin embargo, ellos no entendieron nada de esto. La importancia de sus palabras estaba oculta de ellos, y no captaron lo que decía.

SABIDURÍA Y REFLEXIÓN

No rechaces o ignores las cosas de Dios. Enfoca tus "radares humanos" como tus ojos y tus oídos en lo que Dios te está tratando de enseñar. Jesucristo desea que tu santificación sea completa, por eso te llevará de manera directa a hacer Su voluntad.

ORACIÓN DE ARRANQUE

Mi Abba y mi Rey, ayúdame a entender Tu Palabra, y a entender Tus cosas. ¡Amado Señor Jesús, quiero ser un verdadero siervo y un santo de Dios! ¡Guíame, O Rey Eterno!

MI REACCIÓN Y MI ORACIÓN

Abril 1

LA ESCRITURA DE HOY

Colosenses 3:2-3

2 Piensen en las cosas del cielo, no en las de la tierra. 3 Pues ustedes han muerto a esta vida, y su verdadera vida está escondida con Cristo en Dios.

SABIDURÍA Y REFLEXIÓN

Observa tu conducta y obedece a Dios en todo. La característica de la vida santificada es la obediencia. Por lo tanto, manifiesta en tu vida todo lo que Dios manda, entre otras cosas: humildad, amabilidad y paciencia.

ORACIÓN DE ARRANQUE

Mi Abba y mi Rey, perdóname por mi mala conducta y protégeme contra todo tipo de inmoralidad sexual, impureza, malos deseos, avaricia, enojo, ira, malicia, calumnia y lenguaje obsceno. Padre Santo, ayúdame a manifestar las características de una vida santificada, como perdonar y tolerar a otros. Enséñame, Jehová, como vestirme de bondad, humildad, amabilidad y paciencia. Padre Eterno, hazme conocer como obedecerte en todo lo que hago.

MI REACCIÓN Y MI ORACIÓN

LA ESCRITURA DE HOY

Colosenses 1:17

[17] Él ya existía antes de todas las cosas
y mantiene unida toda la creación.

SABIDURÍA Y REFLEXIÓN

Forma en tu vida una devoción apasionada hacia Jesucristo. Él murió
para salvarnos, lavando nuestros pecados mediante el derramamiento
de Su Sangre. Todo lo que no sea de Jesucristo en mi vida debe cesar,
porque todo ha sido creado por medio de Él y para Él.

ORACIÓN DE ARRANQUE

Mi Abba y mi Rey, sé el Señor de mi vida y el dueño de mi mente.
Alabado sea Tu nombre, Jesús, mi Salvador y mi Dios; por medio de Ti
fueron creadas todas las cosas en el cielo y en la tierra, visibles e
invisibles: todo ha sido creado por medio de Ti y para Ti. Mi Dios,
hazme conocer una devoción apasionada hacia Ti, porque moriste para
salvarme de mis pecados mediante el derramamiento de Tu propia
sangre. Ayúdame a reformar mi vida para hacerlo todo por Ti y paraTi.

MI REACCIÓN Y MI ORACIÓN

LA ESCRITURA DE HOY

Mateo 20:22-23

²² Jesús les respondió:

—¡No saben lo que piden! ¿Acaso pueden beber de la copa amarga de sufrimiento que yo estoy a punto de beber?—Claro que sí —contestaron ellos—, ¡podemos! ²³ Jesús les dijo:—Es cierto, beberán de mi copa amarga; pero no me corresponde a mí decir quién se sentará a mi derecha o a mi izquierda. Mi Padre preparó esos lugares para quienes él ha escogido.

SABIDURÍA Y REFLEXIÓN

Se un servidor y hasta un esclavo de los demás. Prepara tu corazón para que puedas beber de la copa del trago amargo que Él bebió cuando Él te la ofrezca, la copa de la humilde sumisión a Su voluntad.

ORACIÓN DE ARRANQUE

Mi Abba y mi Rey, Te ofrezco mis ansias por hacer el bien, y hacer Tu trabajo aquí en la tierra, y por ganar a los perdidos. Padre, ayúdame a tener paciencia y esperar por Tus instrucciones, y guíame en sumisión total y humilde a Tu voluntad. Soberano Señor, enséñame qué debo de hacer para preparar mi corazón para poder beber de la copa del trago amargo que Jesús bebió cuando Tu me la ofrezcas.

MI REACCIÓN Y MI ORACIÓN

Abril 4

LA ESCRITURA DE HOY

Hechos 5:29

²⁹ Pero Pedro y los apóstoles respondieron:

—Nosotros tenemos que obedecer a Dios antes que a cualquier autoridad humana.

SABIDURÍA Y REFLEXIÓN

Ten la convicción de obedecer a Dios antes que los hombres. No importa si el grupo de creyentes con los que tú compartes te juzgan; cualquier movimiento o persona que contradice a Jesús, Dios lo hará pedazos.

ORACIÓN DE ARRANQUE

Mi Abba y mi Rey, gracias por Tu paciencia conmigo, y por no juzgarme cuando Te rechazo y cuando no Te obedezco. Padre Santo, ayúdame a obedecerte en todo, sin importarme lo que piensen o lo que digan otras personas cuando me juzgan o me critican.

MI REACCIÓN Y MI ORACIÓN

LA ESCRITURA DE HOY

Juan 3:18, 19

[18] El que cree en él no es condenado, pero el que no cree ya está condenado por no haber creído en el nombre del Hijo unigénito de Dios. Esta es la causa de la condenación: que la luz vino al mundo, pero la humanidad prefirió las tinieblas a la luz, porque sus hechos eran perversos.

SABIDURÍA Y REFLEXIÓN

Cuídate de no ser un hipócrita ni un traidor a Jesús. No seas un "hombre de doble ánimo" como lo fue Judas. No te pongas perezoso espiritualmente. Debes estar listo y preparado para encarar tu situación con consistencia e integridad.

ORACIÓN DE ARRANQUE

Bendito Padre, mi deseo es ser totalmente sincero contigo y con mi prójimo. Límpiame de cualquier tendencia que tenga de ser desleal a Ti, al hablar como cristiano y actuar como Judas. Vigorízame a hacer lo correcto siempre, de modo que esté listo para confrontar el arduo camino de la vida; cosas tales como: la confusión, la justicia, la ingratitud y la duración.

MI REACCIÓN Y MI ORACIÓN

LA ESCRITURA DE HOY

Mateo 4:3

[3] En ese tiempo, el diablo se le acercó y le dijo:

—Si eres el Hijo de Dios, di a estas piedras que se conviertan en pan.

SABIDURÍA Y REFLEXIÓN

Combate diariamente las tentaciones de proveer las meras necesidades de esta sociedad y de la humanidad. Cuídate de las tentaciones que se presentan con sutileza en tu vida. Recuerda que, "No solo de pan vive el hombre, sino de toda la Palabra que sale de la boca de Dios".

ORACIÓN DE ARRANQUE

Mi Abba y mi Rey, ayúdame a combatir diariamente las tentaciones de proveer mis necesidades sociales y económicas, las cuales me apartaran de Ti si dejo que se manifiesten como pecado. Ayúdame a estar completamente entregado a Ti. Padre Santo, ayúdame a combatir los ataques y las mentiras de Satanás. Soberano Señor, dame la fuerza necesaria para hacer Tu voluntad y no rendirme a las tentaciones.

MI REACCIÓN Y MI ORACIÓN

Abril 7

LA ESCRITURA DE HOY

Hebreos 4:14-15

Cristo es nuestro Sumo Sacerdote

[14] Por lo tanto, ya que tenemos un gran Sumo Sacerdote que entró en el cielo, Jesús el Hijo de Dios, aferrémonos a lo que creemos. [15] Nuestro Sumo Sacerdote comprende nuestras debilidades, porque enfrentó todas y cada una de las pruebas que enfrentamos nosotros, sin embargo él nunca pecó.

SABIDURÍA Y REFLEXIÓN

No te desvíes cada vez que escuches o tengas una experiencia sobrenatural. Satanás sabe perfectamente el poder que tiene lo milagroso para distraer a los seres humanos. No seas un tonto útil que cualquier cosa sobrenatural te convence al instante. ¡Ten cuidado!

ORACIÓN DE ARRANQUE

Mi Abba y mi Rey, sálvame, Señor, de los ataques de Satanás y de todas las sectas terrenales engañadas por él. Yo estoy consiente que Satanás sabe el poder que tiene lo milagroso para atraer la atención de los seres humanos. Ayúdame a tener madurez en Ti y en Tu Palabra para no desviarme cada vez que escuche o tenga alguna experiencia sobrenatural. Protégeme, y báñame con la sangre que Jesucristo derramó por mi y por mis pecados en la Cruz de la Salvación.

MI REACCIÓN Y MI ORACIÓN

Abril 8

LA ESCRITURA DE HOY

Mateo 4:10

[10] —Vete de aquí, Satanás —le dijo Jesús—, porque las Escrituras dicen:

"Adora al Señor tu Dios
y sírvele sólo a él".

SABIDURÍA Y REFLEXIÓN

No te comprometas con el mal por tratar de complacer tus deseos; haz la voluntad de Dios. Tampoco ignores los lazos peligrosos de Satanás.

ORACIÓN DE ARRANQUE

Mi Abba y mi Rey, ayúdame a reconocer los lazos de Satanás y a no comprometerme con el mal porque estoy satisfaciendo mis deseos pecaminosos. Señor, mi Libertador, ayúdame a rechazar toda concesión con el mal. Jesús, manda Tu Espíritu para que me guíe y me de poder pare enfrentar los engaños y los ataques de Satanás.

MI REACCIÓN Y MI ORACIÓN

Abril 9

LA ESCRITURA DE HOY

1 Juan 3:8

[8] Sin embargo, cuando alguien sigue pecando, demuestra que pertenece al diablo, el cual peca desde el principio; pero el Hijo de Dios vino para destruir las obras del diablo.

SABIDURÍA Y REFLEXIÓN

Se un reflejo de Jesucristo en todo lo que hagas; tu objetivo es ser semejante a Él. Ten cuidado de no vivir en armonía con el mundo por miedo a la pobreza. Permanece en Él para que no practiques el pecado.

ORACIÓN DE ARRANQUE

Mi Abba y mi Rey, fortaléceme para que no sea derrotado por los afanes de esta vida y el engaño de las riquezas. Dame fuerza y sabiduría para no temer la pobreza. Protégeme, Dios, contra los engaños de este mundo. Haz de mi una persona justa y purificada. Jesús, hazme conocerte más y más, para convertirme en un reflejo exacto de Ti.

MI REACCIÓN Y MI ORACIÓN

Abril 10

LA ESCRITURA DE HOY

Marcos 1:35

Jesús predica en Galilea

[35] A la mañana siguiente, antes del amanecer, Jesús se levantó y fue a un lugar aislado para orar.

SABIDURÍA Y REFLEXIÓN

Ten convicción y pasión con tu ministerio, siempre seguro de tu próximo paso. Ten también la disciplina de meditar y orar en tu closet solitario con Dios, donde recibirás Sus instrucciones. Y admite la influencia de Dios cuando tengas victorias y éxito.

ORACIÓN DE ARRANQUE

Mi Abba y mi Rey, perdóname cuando yo minimizo o trivializo Tu influencia en cualquier cosa que ocurra en mi vida. Padre Santo, ayúdame a reconocer Tu mano soberana durante los momentos de victoria y éxito; sálvame de pensar que yo estoy en control. Mi Dios, ayúdame a tener disciplina para meditar y orar a menudo en mi closet solitario, donde yo pueda reconocerte y adorarte, y donde pueda recibir Tus instrucciones.

MI REACCIÓN Y MI ORACIÓN

LA ESCRITURA DE HOY

Tesalonicenses 1

La fe de los creyentes de Tesalónica

² Siempre damos gracias a Dios por todos ustedes y continuamente los tenemos presentes en nuestras oraciones.

SABIDURÍA Y REFLEXIÓN

Imite a Jesús y a los apóstoles; menciona lleva a amigos y a tu familia en tus oraciones. ¡Es importantísimo orar por otros!

ORACIÓN DE ARRANQUE

Mi Abba y mi Rey, ayúdame a planear y a administrar mi tiempo para orar por mis amigos, mi familia, mi pastor, Tus ministerios, y tanto más. Los que están en circunstancias difíciles, los que están llenos de alegría y los que nos ministraron. Protégeme contra los ataques de Satanás contra mi tiempo de oración.

MI REACCIÓN Y MI ORACIÓN

Abril 12

LA ESCRITURA DE HOY

Josué 1:9

⁹ Mi mandato es: "¡Sé fuerte y valiente! No tengas miedo ni te desanimes, porque el SEÑOR tu Dios está contigo dondequiera que vayas"».

SABIDURÍA Y REFLEXIÓN

Cumple con todo lo que está escrito en la Biblia, y obedece toda la ley. ¡Se valiente, no temas ni desmayes! Porque Dios te ha prometido que estará contigo y te acompañará donde sea que vayas. Lo mejor aún esta por venir.

ORACIÓN DE ARRANQUE

Mi Abba y mi Rey, guíame como hiciste con Tus siervos Moisés y Josué. Ayúdame a ser valiente y consistente en seguir todas Tus leyes, mandamientos y enseñanzas. Dame fuerza para no desmayar en mis esfuerzos de meditar y hacer conforme a todo lo que está escrito en Tu Santo Libro. Dios, yo reclamo Tus promesas de prosperidad, de bienestar, y de estar conmigo y de acompañarme donde quiera que yo vaya si yo cumplo con Tu voluntad. ¡Lo has prometido!

MI REACCIÓN Y MI ORACIÓN

Abril 13

LA ESCRITURA DE HOY

Romanos 8:24

24 Recibimos esa esperanza cuando fuimos salvos. (Si uno ya tiene algo, no necesita esperarlo).

SABIDURÍA Y REFLEXIÓN

Ten confianza que Dios cumplirá sus propios propósitos a Su manera. Ten esperanza y no te preocupes por lo que está ocurriendo. Dios no está vencido ni restringido dentro de los confines de la historia humana.

ORACIÓN DE ARRANQUE

Mi Abba y mi Rey, alabado seas Tú por ser infinito, omnipotente, y el Alfa y la Omega. Siempre has estado y siempre estarás. Dios, todo poderoso, mi esperanza para el futuro está en Ti por completo. Ayúdame, Dios, a confirmar mi fe con Tus milagros. Enséñame a discernir Tu Espíritu dentro de mí. Padre Eterno, crea en mi una confianza sólida y convencida de que Tu no estás vencido, ni derrotado ni aplastado dentro de los confines de la historia humana.

MI REACCIÓN Y MI ORACIÓN

Abril 14

LA ESCRITURA DE HOY

Salmos 31:20

[20] Los escondes en el refugio de tu presencia,
a salvo de los que conspiran contra ellos.
Los proteges en tu presencia,
los alejas de las lenguas acusadoras.

SABIDURÍA Y REFLEXIÓN

Busca refugio en el Señor contra las trampas que han tendido tus enemigos y tus perseguidores. Ten confianza total en Su capacidad de protegerte. En Sus manos encomienda tu espíritu.

ORACIÓN DE ARRANQUE

Mi Abba y mi Rey, guárdame en la seguridad de Tu presencia y en el refugio de Tu amor. Tú eres mi roca protectora, mi fortaleza, y mi libertador. Dios, yo estoy convencido que Tu ves mi aflicción y conoces las angustias de mi alma. Libérame de las trampas que me han tendido mis enemigos y perseguidores. Protégeme contra los malvados, las intrigas humanas, y las lenguas contenciosas. Acude pronto a socorrerme. Padre Celestial, en Tus manos encomiendo mi espíritu.

MI REACCIÓN Y MI ORACIÓN

Abril 15

LA ESCRITURA DE HOY

Isaías 24:21

²¹ En aquel día, el SEÑOR castigará a los dioses de los cielos y a los soberbios gobernantes en las naciones de la tierra.

SABIDURÍA Y REFLEXIÓN

Prepárate para el Día del Juicio Final. Lee las Escrituras; presta atención a la voz de Dios. Esfuérzate a conocer a Jesús más y más cada día, porque el Día del Juicio Final será un día de gran celebración y alegría para nosotros.

ORACIÓN DE ARRANQUE

Mi Abba y mi Rey, prepárame, O Señor, para el Día del Juicio Final. Enséñame día a día como conocerte mejor. Padre Santo, el Día del Juicio Final será un día de gran alegría y no de preocupación. Enséñame como puedo preparar mi corazón para los últimos días. Dame un espíritu de urgencia para ayudar a mis amigos y a mi familia para que también estén listos cuando llegue el Día del Juicio Final.

MI REACCIÓN Y MI ORACIÓN

LA ESCRITURA DE HOY

Lucas 7:28

28 »Les digo que de todos los hombres que han vivido, nadie es superior a Juan. Sin embargo, hasta la persona más insignificante en el reino de Dios es superior a él».

SABIDURÍA Y REFLEXIÓN

Busca hacerte un gran cristiano. ¡Los más grandes cristianos no son los más educados, sino los más inspirados por Dios! Permite ser movido por el Espíritu Santo; rindete en toda humildad al propósito de Dios.

ORACIÓN DE ARRANQUE

Mi Abba y mi Rey, hazme una persona inspirada y enséñame como debo caminar. Padre Santo, guíame en la forma que debo de vivir; sin temor o favoritismo y siempre dependiendo de Ti. Jehová, te pido que Tu Espíritu Santo me mueva y me guíe en todos los aspectos de mi vida. Padre de la gloria, hoy me rindo en toda humildad a Tu propósito.

MI REACCIÓN Y MI ORACIÓN

Abril 17

LA ESCRITURA DE HOY

Lucas 18:8

[8] Les digo, »¡que pronto les hará justicia! Pero cuando el Hijo del Hombre regrese, ¿a cuántas personas con fe encontrará en la tierra?».

SABIDURÍA Y REFLEXIÓN

Ora siempre, sin desanimarte. Dios escucha todas tus peticiones y hará justicia, y sin demora.

ORACIÓN DE ARRANQUE

Mi Abba y mi Rey, limpia mi corazón y abre mis ojos para poder ver dónde está el camino por el cual Tu transmites el conocimiento. Dame la necesaria sabiduría para no depender de la inteligencia humana o de mi experiencia, sino de Ti. Padre Celestial, dame la confianza de que Tú escuchas todas mis peticiones, y que harás justicia, y sin demora. Soberano Señor, ayúdame a orar de día y de noche, sin desanimarme.

MI REACCIÓN Y MI ORACIÓN

LA ESCRITURA DE HOY

Hebreos 11:26

[26] [Moisés] consideró que era mejor sufrir por causa de Cristo que poseer los tesoros de Egipto, pues tenía la mirada puesta en la gran recompensa que recibiría.

SABIDURÍA Y REFLEXIÓN

No les tengas miedo a los humanos. Prefiere ser pobre o maltratado que disfrutar riquezas o placeres fuera de Dios. ¡Ten fe en Jesús!

ORACIÓN DE ARRANQUE

Mi Abba y mi Rey, mis esperanzas están fundadas en Ti, y mi fe es sólida en todas Tus promesas. Ayúdame, Señor, a concentrarme en Tu voluntad y no en las ideas de prosperidad que se encuentran en este mundo. Ayúdame también a no tenerles miedo a los humanos, y preferir ser maltratado que disfrutar placeres fuera de Tu voluntad. Padre Celestial, deseo tener una fe sólida en Ti.

MI REACCIÓN Y MI ORACIÓN

LA ESCRITURA DE HOY

Salmos 16:11

[11] Me mostrarás el camino de la vida,
me concederás la alegría de tu presencia
y el placer de vivir contigo para siempre.

SABIDURÍA Y REFLEXIÓN

Ten confianza en las promesas de Dios y en la preciosa herencia que te corresponde. Dios promete ser tu refugio y tu protección; nada te hará caer. Él te aconsejará en todo, y no permitirá que sufras corrupción. Con tus labios pronuncia Su nombre y bendice al Señor. Disfruta de la presencia de Dios y goza de tu comunión con Él.

ORACIÓN DE ARRANQUE

Mi Abba y mi Rey, ayúdame a tener la necesaria disciplina para aprovechar Tu presencia y aprender a estar contigo consistentemente. Enséñame, Dios todo poderoso, como puedo asegúrarme de Tus promesas y tener confianza en la preciosa herencia que me has prometido y que me corresponde. En Ti, Padre Santo, busco refugio y protección; Tú no permitirás que caiga en las trampas de las mentiras y la corrupción. O Dios, hoy gozo de Tu presencia; solo en pensar de la eterna comunión contigo está más allá de mi compresión. Pero gozo del tremendo placer de la comunión que tengo contigo hoy en día.

MI REACCIÓN Y MI ORACIÓN

LA ESCRITURA DE HOY

Apocalipsis 2:7

[7] »Todo el que tenga oídos para oír debe escuchar al Espíritu y entender lo que él dice a las iglesias. A todos los que salgan vencedores, les daré del fruto del árbol de la vida, que está en el paraíso de Dios».

SABIDURÍA Y REFLEXIÓN

Ten una comunión personal con Dios y Él te conducirá a una bendición mayor, más grandiosa de lo que puedas imaginar.

ORACIÓN DE ARRANQUE

Mi Abba y mi Rey, ayúdame a tener una comunión personal contigo. Yo sé que si mi alma tiene comunión personal contigo, esto me conducirá a una bendición mayor y más grandiosa de lo que me puedo imaginar. Padre Santo, ayúdame a vencer para así tener el derecho a comer del árbol de la vida, que está en Tu paraíso. ¡Ya entiendo que el paraíso comienza inmediatamente; cuanto lo anhelo!

MI REACCIÓN Y MI ORACIÓN

Abril 21

LA ESCRITURA DE HOY

Salmos 23:2

2 En verdes prados me deja descansar;
me conduce junto a arroyos tranquilos.

SABIDURÍA Y REFLEXIÓN

Aliéntate por el amor de Dios hacia ti y por Sus promesas. Dale la gloria a Dios porque Él te conduce a aguas tranquilas, y te infunde nuevas fuerzas. Deja que Dios te guíe en todo.

ORACIÓN DE ARRANQUE

Mi Abba y mi Rey, sé mi guía. Toma el control completo. Padre Santo, gracias por Tu promesa de protegerme contra cualquier cosa; siempre estarás a mi lado. Alabado seas Tú, Señor, porque me conduces a aguas tranquilas, y me infundes nuevas fuerzas. Jehová, protégeme contra el engaño del desaliento porque no logro lo que quiero y por seguir el amor propio. Gloria a Dios, porque dispones ante mi un banquete en la presencia de mis enemigos. Ayúdame, Señor, y dame la necesaria disciplina pare memorizar Tu Salmo 23, pues puede ayudar durante momentos de sufrimiento.

MI REACCIÓN Y MI ORACIÓN

Abril 22

LA ESCRITURA DE HOY

Juan 16:13

[13] Cuando venga el Espíritu de verdad, él los guiará a toda la verdad. Él no hablará por su propia cuenta, sino que les dirá lo que ha oído y les contará lo que sucederá en el futuro.

SABIDURÍA Y REFLEXIÓN

Haz la voluntad de Dios. Pon en práctica Su Palabra. Haz el bien. Ora que el Espíritu Santo de Dios te guíe a toda la verdad.

ORACIÓN DE ARRANQUE

Mi Abba y mi Rey, alabado sea Tu Espíritu Santo que me guía a toda la verdad y hace claro lo que antes era oscuro. Padre de la gloria, santifícame por completo para que mi alma llegue a ser una contigo. Mi Dios, guíame a toda la verdad y enséñame como hacer Tu voluntad y poner en práctica Tu Palabra, para siempre hacer el bien.

MI REACCIÓN Y MI ORACIÓN

LA ESCRITURA DE HOY

Filipenses 2:13

[13] Pues Dios trabaja en ustedes y les da el deseo y el poder para que hagan lo que a él le agrada.

SABIDURÍA Y REFLEXIÓN

Obedece a Dios en todo. Recuerda que Él es el Ingeniero Celestial. Abandónate completamente a Él, y hazlo todo sin quejas ni contiendas, manteniendo en alto su Palabra. Entonces tendrás intimidad con Cristo.

ORACIÓN DE ARRANQUE

Mi Abba y mi Rey, gracias por Tu provisión adecuada para mi salvación. ¡Todo lo que tengo que hacer es buscar y pedir! Ayúdame a abandonarme a Ti para adquirir la intimidad contigo. Padre de la gloria, enséñame a obedecerte en todo: en lo que hago, en lo que veo, y en lo que pienso. Jesús, Tu eres el Ingeniero Celestial; ayúdame a hacer todo sin quejas ni contiendas, manteniendo en alto Tu palabra, la Agua Viva.

MI REACCIÓN Y MI ORACIÓN

Abril 24

LA ESCRITURA DE HOY

Juan 4:10

[10] Jesús contestó:

—Si tan sólo supieras el regalo que Dios tiene para ti y con quién estás hablando, tú me pedirías a mí, y yo te daría agua viva.

SABIDURÍA Y REFLEXIÓN

Busca conocimiento y sabiduría en Dios, no en el mundo. No pienses que por tu propio valor o con tu energía puedas salvarte. Él es el único que te puede dar la salvación y la santificación.

ORACIÓN DE ARRANQUE

Mi Abba y mi Rey, dame fe para aceptar plenamente la salvación y la santificación como un don gratuito de Tu amor, y no por ningún valor propio mío, ni de ningún trabajo que yo he hecho. Padre mío, protégeme contra la trampa de valorarme en términos humanos, lo cual siempre me volverá a dejar con sed.

MI REACCIÓN Y MI ORACIÓN

Abril 25

LA ESCRITURA DE HOY

2 Tesalonicenses 2:11-12

[11] Por lo tanto, Dios hará que ellos sean engañados en gran manera y creerán esas mentiras. [12] Entonces serán condenados por deleitarse en la maldad en lugar de creer en la verdad.

SABIDURÍA Y REFLEXIÓN

Ora por tu familia y por tus amigos para que conozcan la verdad tal como está en Cristo, y al mismo tiempo, para que llegues a conocer a Cristo íntimamente. No te alarmes por las profecías, ni por los mensajes supuestamente sabios de algunos. No te dejes engañar por los que utilizan el ministerio de la maldad. El malvado siempre viene por obra de Satanás, con todo tipo de mentiras. Se fiel a Jesucristo.

ORACIÓN DE ARRANQUE

Mi Abba y mi Rey, ayúdame a discernir la verdad en todo y no permitas que el engaño tenga ningún poder sobre mi o mi familia. Protégeme con sangre que Cristo derramó en la cruz contra los trucos del diablo para deleitarme en el mal. Dios, mi Protector, dame sabiduría para no alarmarme por las profecías, ni por los mensajes supuestamente sabios de algunos. Protégeme también contra los engaños de los malvados que siempre vienen por obra de Satanás, utilizando el ministerio de la maldad. Oro también por mis amigos y miembros de mi familia que no Te conocen; mi oración es que conozcan a Cristo y Su verdad.

MI REACCIÓN Y MI ORACIÓN

LA ESCRITURA DE HOY

1 Juan 2:2

[2] Él mismo es el sacrificio que pagó por nuestros pecados, y no sólo los nuestros sino también los de todo el mundo.

SABIDURÍA Y REFLEXIÓN

No te dejes gobernar por el pecado ni por las presiones de este mundo. Jesucristo es el sacrificio por el perdón de tus pecados, y por los de todo el mundo. Obedece Sus mandamientos. Deja que Dios te gobierne, y que Su amor se manifieste plenamente en tu vida. Obedece Su Palabra.

ORACIÓN DE ARRANQUE

Mi Abba y mi Rey, yo quiero permanecer en Ti, y vivir como Tú viviste. Padre Santo, mi deseo es que Tú gobiernes mi vida, y que Tu amor se manifieste plenamente en mi vida. Mi Dios y mi amparo, ayúdame a dejarte gobernar en mi vida y no dejar que el pecado ni las presiones de este mundo me controlen. Soberano Señor, manda a Tu Espíritu Santo que me invada con la nueva naturaleza de la santidad, y me ayude a obedecer Tus mandamientos.

MI REACCIÓN Y MI ORACIÓN

Abril 27

LA ESCRITURA DE HOY

Romanos 3:23

²³ Pues todos hemos pecado; nadie puede alcanzar la meta gloriosa establecida por Dios.

SABIDURÍA Y REFLEXIÓN

Erradica y estrangula el pecado hasta que muera por completo en tu vida. Entrégate y ríndete de forma absoluta a Dios para que estés sellado por la integridad moral, y por el carácter sobrenatural de Dios.

ORACIÓN DE ARRANQUE

Mi Abba y mi Rey, crea verdadero carácter dentro de mí, ¡un carácter agradable a Ti! Ayúdame a rendirme y entregarme por completo a Ti. Invade mi vida con Tu Espíritu. Padre Eterno, hoy Te entrego todo de una forma absoluta y Te pido que erradiques y estrangules cualquier pecado dentro de mí. Libérame por completo, de todo pecado.

MI REACCIÓN Y MI ORACIÓN

Abril 28

LA ESCRITURA DE HOY

1 Tesalonicenses 3:13

¹³ Que él, como resultado, fortalezca su corazón para que esté sin culpa y sea santo al estar ustedes delante de Dios nuestro Padre cuando nuestro Señor Jesús regrese con todo su pueblo santo. Amén.

SABIDURÍA Y REFLEXIÓN

Pídele a Dios que erradique tu inclinación al pecado y que llene tu corazón limpio con Su gloria. Pide que Dios te santifique por completo.

ORACIÓN DE ARRANQUE

Mi Abba y mi Rey, establece verdadera santidad en mi vida para que yo esté listo para el regreso de Cristo. Fortaléceme interiormente para que, cuando Tú vengas, mi santidad sea intachable delante de Ti. Padre Santo, erradica mi inclinación al pecado, y llena mi corazón limpio con Tu gloria y Tu amor.

MI REACCIÓN Y MI ORACIÓN

Abril 29

LA ESCRITURA DE HOY

1 Juan 2:1

2 Mis queridos hijos, les escribo estas cosas, para que no pequen; pero si alguno peca, tenemos un abogado que defiende nuestro caso ante el Padre. Es Jesucristo, el que es verdaderamente justo.

SABIDURÍA Y REFLEXIÓN

No peques. Punto. Obedece los mandamientos. Manifiesta plenamente en tu vida que tú obedeces la Palabra de Dios. Vive como Él vivió. Ama a tu hermano para que permanezcas en la luz. Pero si pecas, recuerda que Jesucristo, el Justo, es tu intercesor.

ORACIÓN DE ARRANQUE

Mi Abba y mi Rey, gracias que nada puede arrebatarme de Tus manos, nada puede hacerme caer de Ti, las puertas del infierno no pueden prevalecer contra nosotros, ni ningún poder externo puede hacerme caer. Gracias también, Padre Santo, que si peco, tengo en Ti un intercesor, Jesucristo, el Justo. El es el sacrificio por el perdón de mis pecados, y no solo por los míos, sino por los de todo el mundo. Mi Libertador, báñame con la sangre derramada por Jesucristo para rechazar las tentaciones de este mundo y del diablo.

MI REACCIÓN Y MI ORACIÓN

LA ESCRITURA DE HOY

Lucas 16:15

[15] Entonces él les dijo: «A ustedes les encanta aparecer como personas rectas en público, pero Dios conoce el corazón. Lo que este mundo honra es detestable a los ojos de Dios.

SABIDURÍA Y REFLEXIÓN

No desees nada que no sea de Dios, pues aquello que la gente tiene en gran estima es detestable ante de Dios. Tampoco pienses que tu salvación consiste en tu moralidad, tu santidad, tu experiencia, o cualquier otra cosa basada en ti mismo.

ORACIÓN DE ARRANQUE

Mi Abba y mi Rey, ayúdame a darme cuenta de que aquello que la gente tiene en gran estima es detestable ante Ti. Inspecciona mi corazón y límpiame de todo deseo de gobernarme a mí mismo, de mi deseo a las riquezas de este mundo, y de mi actitud sobre mi derecho a mí mismo. Protégeme, Padre Santo, contra la mentira que pretende que la salvación consiste en mi moralidad o santidad o experiencia o cualquier otra cosa que no sea la sangre de Jesús. A Ti me aferro, Señor Jesús.

MI REACCIÓN Y MI ORACIÓN

Mayo 1

LA ESCRITURA DE HOY

2 Corintios 6:1

[8] Como colaboradores de Dios, les suplicamos que no reciban ese maravilloso regalo de la bondad de Dios y luego no le den importancia.

SABIDURÍA Y REFLEXIÓN

Apártate de todo lo que es impuro y no formes junta con los incrédulos; no tienes nada en común con ellos. Aprende a estar separado para Dios.

ORACIÓN DE ARRANQUE

Mi Abba y mi Rey, ayúdame a renunciar a lo que más aprecio de este mundo, y entregarme con las manos vacías a Ti. Padre santo, quiero aprender a separarme de todo para darte todo mi ser en entrega perfecta. Ayúdame también a apartarme de no formar yunta con los incrédulos.

MI REACCIÓN Y MI ORACIÓN

Mayo 2

LA ESCRITURA DE HOY

Génesis 12:8

⁸ Después Abram viajó hacia el sur y estableció el campamento en la zona montañosa, situada entre Betel al occidente, y Hai al oriente. Allí edificó otro altar y lo dedicó al SEÑOR, y adoró al SEÑOR.

SABIDURÍA Y REFLEXIÓN

Planifica un tiempo diario y un tiempo extenso para la oración. Separa un lugar para invocar a Dios. Y después de cualquier victoria, ponte de rodillas y ten comunión con Él.

ORACIÓN DE ARRANQUE

Mi Abba y mi Rey, en estos días agitados, ayúdame a sepárame de otros y orar de veras, como hiciste Tú. Señor, ayúdame a planear un tiempo diario y semanal para la oración, y un tiempo extenso de oración dos veces al año. Padre de la gloria, enséñame a ponerme de rodillas después de alcanzar cualquier victoria espiritual. Dios, yo deseo tener comunión contigo y conocerte mejor.

MI REACCIÓN Y MI ORACIÓN

LA ESCRITURA DE HOY

Juan 10:27-28

²⁷ Mis ovejas escuchan mi voz; yo las conozco, y ellas me siguen. ²⁸ Les doy vida eterna, y nunca perecerán. Nadie puede quitármelas,

SABIDURÍA Y REFLEXIÓN

Se humilde como un niño, y no seas un hipócrita que pretende ser virtuoso y piadoso con el propósito de ganar favor para ti mismo. Recibe en nombre de Jesús a los nuevos creyentes.

ORACIÓN DE ARRANQUE

Mi Abba y mi Rey, protégeme contra cualquier pretensión que yo manifieste de ser virtuoso y piadoso para ganar favores de Ti. Ayúdame a ser más humilde, y a no ser culpable de ofender a propósito a nadie. Padre celestial, enséñame como debo de recibir en Tu nombre a nuevos creyentes, y protégeme para que yo nunca haga pecar a nadie.

MI REACCIÓN Y MI ORACIÓN

Mayo 4

LA ESCRITURA DE HOY

Mateo 25:21

[21] El amo lo llenó de elogios. "Bien hecho, mi buen siervo fiel. Has sido fiel en administrar esta pequeña cantidad, así que ahora te daré muchas más responsabilidades. ¡Ven a celebrar conmigo!"

SABIDURÍA Y REFLEXIÓN

Ten confianza que Dios té esta preparando para después enviarte. No corras antes de ser enviado. Ora que Dios te de paciencia mientras Él te prepara.

ORACIÓN DE ARRANQUE

Mi Abba y mi Rey, ya entiendo porque en algunas ocasiones parece que me has abandonado. ¡Me estás preparando antes de enviarme a un lugar mucho más importante! Padre santo, protégeme contra la tendencia a correr antes de ser enviado. Jehová, dame fuerza para esperar con paciencia.

MI REACCIÓN Y MI ORACIÓN

Mayo 5

LA ESCRITURA DE HOY

Hechos 1:4

⁴ Una vez, mientras comía con ellos, les ordenó: "No se vayan de Jerusalén hasta que el Padre les envíe el regalo que les prometió, tal como les dije antes".

SABIDURÍA Y REFLEXIÓN

Se de un solo propósito; esperando la promesa del Padre. Entonces el Espíritu Santo manifestará su poder inefable; Te dará a conocer los caminos de la vida, y te llenará de alegría.

ORACIÓN DE ARRANQUE

Mi Abba y mi Rey, lléname diariamente con la plenitud de Tu Santo Espíritu. Ayúdame con paciencia y disciplina a tener un solo propósito: esperar Tu promesa. Padre de la gloria, dame a conocer los caminos de la vida, y lléname de alegría. ¡Que yo siempre sea tuyo por completo!

MI REACCIÓN Y MI ORACIÓN

LA ESCRITURA DE HOY

Efesios 1:13

[13] Y ahora ustedes, los gentiles, también han oído la verdad, la Buena Noticia de que Dios los salva. Además, cuando creyeron en Cristo, Dios los identificó como suyos al darles el Espíritu Santo, el cual había prometido tiempo atrás.

SABIDURÍA Y REFLEXIÓN

Alaba a Dios por haberte escogido en Él antes da la creación del mundo, y por ser marcado con el sello que es el Espíritu Santo. Ora por tu familia y por tus amigos que lo conocen, para que les sean iluminados los ojos del corazón, para que sepan a qué esperanza Él los ha llamado, y para que tengan el espíritu de sabiduría y de revelación, para que lo conozcan mejor.

ORACIÓN DE ARRANQUE

Mi Abba y mi Rey, gracias por Tu bendición y Tu amor santificador. Tú me escogiste ante la creación del mundo; Tu amor me predestinó para ser adoptado como tu hijo por medio de Jesucristo, según el buen propósito de Tu voluntad. Ayúdame durante el proceso de la santificación para poder recibir el bautismo en el Espíritu Santo, el cual es Tu sello en mi alma y mi inauguración a Tu servicio para batallar por Ti. Padre, también oro que ilumines los ojos de mi corazón para saber la riqueza de Tu gloriosa herencia.

MI REACCIÓN Y MI ORACIÓN

LA ESCRITURA DE HOY

Romanos 6:6

[6] Sabemos que nuestro antiguo ser pecaminoso fue crucificado con Cristo para que el pecado perdiera su poder en nuestra vida. Ya no somos esclavos del pecado.

SABIDURÍA Y REFLEXIÓN

No permitas que tu inclinación al pecado te gobierne. Vive con Cristo. El murió al pecado una vez y para siempre. De la misma manera, considérate muerto al pecado, pero vivo para Dios en Cristo Jesús.

ORACIÓN DE ARRANQUE

Mi Abba y mi Rey, gracias por la Gracia para ser liberado del poder y de la contaminación de la naturaleza carnal de pecado. Ayúdame, Dios, a no permitir que mi inclinación al pecado me gobierne. Transfórmame de manera radical. Padre celestial, ¡enséñame como vivir contigo y para Ti!

MI REACCIÓN Y MI ORACIÓN

Mayo 8

LA ESCRITURA DE HOY

1 Juan 1:7

⁷ Si vivimos en la luz, así como Dios está en la luz, entonces tenemos comunión unos con otros, y la sangre de Jesús, su Hijo, nos limpia de todo pecado.

SABIDURÍA Y REFLEXIÓN

Vive en la luz. Ten comunión con Dios diariamente, y ora contra tu inclinación al pecado.

ORACIÓN DE ARRANQUE

Mi Abba y mi Rey, crucifica de una vez por toda esta inclinación al pecado dentro de mí. Amado Padre, no permitas que me gobierne esta oscuridad que (casi de una forma natural) miente de toda cosa. Tú eres fiel y justo para perdonar mis pecados, y pido que me limpies de toda maldad. Jesús, ayúdame a tener comunión contigo y vivir en la luz.

MI REACCIÓN Y MI ORACIÓN

Mayo 9

LA ESCRITURA DE HOY

Lucas 11:21-22

²¹ Cuando un hombre fuerte, como Satanás, está armado y protege su palacio, sus posesiones están seguras, ²² hasta que alguien aún más fuerte lo ataca y lo vence, le quita sus armas y se lleva sus pertenencias.

SABIDURÍA Y REFLEXIÓN

Se puro de corazón. Prepárate diariamente con la Palabra de Dios para enfrentar a este mundo, y así no resbalar. No le tengas envidia a los malvados. Mantén tu corazón limpio y tus manos lavadas en la inocencia. Tu fuerza está en el Evangelio.

ORACIÓN DE ARRANQUE

Mi Abba y mi Rey, aprecio la liberación del pecado mediante Tu sangre derramada en el Calvario. Prepárame diariamente para enfrentar a las personas de este mundo y prepara mi corazón, mi mente, y mi espíritu, para no caer en la trampa de pensar que ellos y el diablo lo dominan todo. Ayúdame a mantener mi corazón limpio y a no traicionar a Tu linaje, ni convertirme como ellos en un burlón, orgulloso, violento, y arrogante. Protégeme diariamente con la sangre derramada de Cristo contra los malvados, y fortaléceme con el Evangelio para combatirlos.

MI REACCIÓN Y MI ORACIÓN

Mayo 10

LA ESCRITURA DE HOY

1 Corintios 2:12

¹² Y nosotros hemos recibido el Espíritu de Dios (no el espíritu del mundo), de manera que podemos conocer las cosas maravillosas que Dios nos ha regalado.

SABIDURÍA Y REFLEXIÓN

Actúa con la sabiduría de Dios, no con la sabiduría de este mundo. Ora que el Espíritu de Dios te examine por completo y que te revele los pensamientos de Dios, hablando no con las palabras que enseña la sabiduría humana sino con las que te enseña el Espíritu.

ORACIÓN DE ARRANQUE

Mi Abba y mi Rey, manda a Tu Espíritu Santo a que entre en mí y me examine por completo. Espíritu de Dios, limpia mi corazón de todo tipo de mancha, convénceme del pecado, y revélame los pensamientos de Dios. Llena mi Espíritu glorioso de la sabiduría de Dios. Oro también por mi familia y mis amigos para que el Espíritu Santo los convenza de su pecado. Prepárame para estar listo en el momento indicado para ayudarlos a crecer en su nuevo conocimiento de Cristo.

MI REACCIÓN Y MI ORACIÓN

Mayo 11

LA ESCRITURA DE HOY

Mateo 10:34-35

[34] "¡No crean que vine a traer paz a la tierra! No vine a traer paz, sino espada. [35] He venido a poner a un hombre contra su padre, a una hija contra su madre y a una nuera contra su suegra."

SABIDURÍA Y REFLEXIÓN

Cuídate de no tratar de buscar la paz y unidad en el dinero, las propiedades, el poder y las otras cosas del mundo. La verdadera paz solamente se obtiene en la persona de Jesucristo.

ORACIÓN DE ARRANQUE

Mi Abba y mi Rey, perdóname por las veces que trato de buscar paz en el dinero, las propiedades, el poder y las otras cosas del mundo y del diablo. Padre santo, enséñame como obtener la paz a través de Jesucristo, siempre basado en la inclinación a la santidad. Jehová, también oro por mis amigos y por mi familia que no te conocen y que están ciegos, para que encuentren paz en Ti.

MI REACCIÓN Y MI ORACIÓN

Mayo 12

LA ESCRITURA DE HOY

1 Juan 3:9

[9] Los que han nacido en la familia de Dios no se caracterizan por practicar el pecado, porque la vida de Dios está en ellos. Así que no pueden seguir pecando, porque son hijos de Dios.

SABIDURÍA Y REFLEXIÓN

Estés alerto a tu inclinación a querer complacer los deseos de la carne, porque tu naturaleza pecaminosa esta sujeta a la ley del pecado. Y recuerda que ¡en Jesucristo tienes victoria sobre el pecado!

ORACIÓN DE ARRANQUE

Mi Abba y mi Rey, Tu gracia es suficiente para mis necesidades. ¡Tu poder santificador es adecuado! Ayúdame a estar alerta a la inclinación de mi naturaleza humana que quiere complacer los deseos de la carne. ¡Gracias Padre de la gloria, que toda persona que ha nacido de nuevo del Espíritu de Dios tiene victoria sobre el pecado!

MI REACCIÓN Y MI ORACIÓN

LA ESCRITURA DE HOY

Gálatas 5:17

[17] La naturaleza pecaminosa desea hacer el mal, que es precisamente lo contrario de lo que quiere el Espíritu. Y el Espíritu nos da deseos que se oponen a lo que desea la naturaleza pecaminosa. Estas dos fuerzas luchan constantemente entre sí, entonces ustedes no son libres para llevar a cabo sus buenas intenciones,

SABIDURÍA Y REFLEXIÓN

Vive por el Espíritu, y no por los deseos de tu naturaleza, ni por la ley. Cuídate de la inmoralidad sexual, impureza y libertinaje; idolatría y brujería; odio, discordia, celos, arrebatos de ira, rivalidades, disensiones, sectarismos y envidia; borracheras, orgías, y otras cosas parecidas.

ORACIÓN DE ARRANQUE

Mi Abba y mi Rey, ayúdame a vivir por Tu Espíritu y no seguir los deseos de mi naturaleza pecaminosa la cual desea impureza, odio, discordia, celos y mucho más, que es todo contrario a lo que desea Tu Espíritu. Las guerras en el alma nunca son tan fieras que no podamos, OH Dios, conquistarlas con Tu ayuda.

MI REACCIÓN Y MI ORACIÓN

Mayo 14

LA ESCRITURA DE HOY

Efesios 4:22

²² Deshágabse de su vieja naturaleza pecaminosa y de su antigua manera de vivir, que está corrompida por la sensualidad y el engaño.

SABIDURÍA Y REFLEXIÓN

Mata tu vida vieja de deseos engañosos. Quítate el ropaje de tu vieja naturaleza. Mata tu inclinación a querer complacer los deseos de la carne.

ORACIÓN DE ARRANQUE

Mi Abba y mi Rey, gracias por la completa liberación de la naturaleza pecaminosa que entenebrece y amenaza mi vida espiritual. Protégeme contra los ataques del mundo y del diablo que tratan de confundirme para que regrese a la vida vieja de deseos engañosos. Soberano Señor, ayúdame a través de Tu Espíritu Santo a matar mi inclinación a querer complacer los deseos de la carne.

MI REACCIÓN Y MI ORACIÓN

Mayo 15

LA ESCRITURA DE HOY

Filipenses 4:13

[13] Pues todo lo puedo hacer por medio de Cristo, quien me da las fuerzas.

SABIDURÍA Y REFLEXIÓN

Estés seguro que todo lo puedes hacer en Cristo que te fortalece. En tu vocabulario nunca debe de existir tal cosa como derrota o fracaso o desaliento. Si estás desalentado, permite que Dios examine tu corazón.

ORACIÓN DE ARRANQUE

Mi Abba y mi Rey, gracias por Tu aliento y buenas noticias de que en Tu trabajo no existe tal cosa como la derrota o el fracaso o el desaliento. Gracias por Tu promesa de que todo lo puedo hacer en Cristo que me fortalece. Señor, deseo crecer en la Gracia y el conocimiento de Jesucristo.

MI REACCIÓN Y MI ORACIÓN

LA ESCRITURA DE HOY

Lucas 14:34-35

[34] »La sal es buena para condimentar, pero si pierde su sabor, ¿cómo la harán salada de nuevo? [35] La sal sin sabor no sirve ni para la tierra ni para el abono. Se tira. ¡El que tenga oídos para oír debe escuchar y entender!».

SABIDURÍA Y REFLEXIÓN

Ten confianza, porque Dios tiene un gran plan para ti. No te vuelvas inútil para Dios con preocupaciones. Recuerda que El conocía tus huesos cuando eras formado en tu madre; tu vida estaba ya escrita en Su libro.

ORACIÓN DE ARRANQUE

Mi Abba y mi Rey, ayúdame a mantenerme de acuerdo contigo; y estar en comunión contigo, no importa cual sean mis circunstancias. Mi alma anhela más de Ti, Dios. Padre santo, deseo crecer en la Gracia y el conocimiento del Señor Jesucristo. Gracias por conocerme íntimamente, y por quererme tanto, que has preparado un camino para mí desde antes que yo naciera.

MI REACCIÓN Y MI ORACIÓN

LA ESCRITURA DE HOY

Salmos 101:2

2 Tendré cuidado de llevar una vida intachable, ¿cuándo vendrás a ayudarme? Viviré con integridad en mi propio hogar.

SABIDURÍA Y REFLEXIÓN

Aléjate de toda intención perversa, y preocúpate más por hacer el bien que por sentirte bien. Conduce tu vida con integridad de corazón y en la perfección de Dios.

ORACIÓN DE ARRANQUE

Mi Abba y mi Rey, hoy quiero conducirme en todo lo que hago como una persona que está viviendo para Ti. Ayúdame a triunfar en perfección y en integridad de corazón. Padre celestial, aumenta mi fe, OH Dios, para que pueda aceptar plenamente Tu voluntad en mi vida y así pueda vivir para Ti. Jehová, quiero triunfar en el camino de perfección y completar mi santificación.

MI REACCIÓN Y MI ORACIÓN

Mayo 18

LA ESCRITURA DE HOY

Romanos 3:24

[24] Sin embargo, con una bondad que no merecemos, Dios nos declara justos por medio de Cristo Jesús, quien nos liberó del castigo de nuestros pecados.

SABIDURÍA Y REFLEXIÓN

Ruégale a Dios que incremente tu fe para que puedas completar tu santidad. Se completamente convencido de Su justicia, la cual es un regalo de Dios para el que sabe que es un mendigo espiritual.

ORACIÓN DE ARRANQUE

Mi Abba y mi Rey, yo soy un mendigo espiritual. Lléname de la fe para poder entender Tu Palabra y Tu justicia, y para poder completar mi santidad. Mediante la fe, OH Dios, me aferro a Tu Palabra. Lléname con Tu justicia.

MI REACCIÓN Y MI ORACIÓN

LA ESCRITURA DE HOY

Mateo 19:21

[21] Jesús le dijo:

—Si deseas ser perfecto, anda, vende todas tus posesiones y entrega el dinero a los pobres, y tendrás tesoro en el cielo. Después ven y sígueme.

SABIDURÍA Y REFLEXIÓN

Vive más y más como Cristo. Remueve cualquier amor que tengas hacia el mundo. "Cualquier cosa que se pegue a su corazón y en la cual usted confié, es propiamente su dios" (Martin Luther).

ORACIÓN DE ARRANQUE

Mi Abba y mi Rey, siembra en mi la inclinación a la santidad. Crea en mi vida una ansiedad interior para querer parecerme más y más a Ti. Padre de la gloria, ayúdame a remover cualquier amor que yo tenga hacia las cosas de este mundo.

MI REACCIÓN Y MI ORACIÓN

Mayo 20

LA ESCRITURA DE HOY

Isaías 58:4

[4] ¿De qué les sirve ayunar, si siguen con sus peleas y riñas? Con esta clase de ayuno, nunca lograrán nada conmigo.

SABIDURÍA Y REFLEXIÓN

Planifica un día para el ayuno. Dios acepta oración y ayuno, ya sean por causa de tus propios pecados o por los de otros. Cuando ayunes, hazlo para romper las cadenas de injusticia y las correas del yugo, poner en libertad a los oprimidos y romper toda atadura.

ORACIÓN DE ARRANQUE

Mi Abba y mi Rey, ayúdame a ayunar en beneficio de Tu reino, sin ninguna hipocresía y totalmente para Tu honor. Padre santo, enséñame el poder de la oración y del ayuno para romper las cadenas de injusticia y poner en libertad a los oprimidos. Jehová, dame disciplina para planificar un ayuno ya sea por causa de mis propios pecados o por los de otros.

MI REACCIÓN Y MI ORACIÓN

LA ESCRITURA DE HOY

Hebreos 11:1

Grandes ejemplos de fe

11 La fe es la confianza de que en verdad sucederá lo que esperamos; es lo que nos da la certeza de las cosas que no podemos ver.

SABIDURÍA Y REFLEXIÓN

Ten confianza que tu fe es tu garantía de lo que tu esperas, y la certeza de lo que no vez. Reconoce la omnipotencia de Dios por crear el universo y por ser el ingeniero de todo.

ORACIÓN DE ARRANQUE

Mi Abba y mi Rey, gracias por la fe que es algo que Tú me has dado. Gracias por Tu garantía de lo que yo espero, y de mi certidumbre de que Tu cumplirás con todas Tus promesas. Padre de la gloria, oro que Tu Espíritu Santo certifique Tu Palabra y Tus promesas en mi corazón, para tener más confianza y certeza de que Tú eres el ingeniero de todo.

MI REACCIÓN Y MI ORACIÓN

Mayo 22

LA ESCRITURA DE HOY

Marcos 1:23-24

²³ De pronto, un hombre en la sinagoga, que estaba poseído por un espíritu maligno, comenzó a gritar: ²⁴ «¿Por qué te entrometes con nosotros, Jesús de Nazaret? ¿Has venido a destruirnos? ¡Yo sé quién eres: el Santo de Dios!».

SABIDURÍA Y REFLEXIÓN

Obedece el instinto de tu corazón. Grita la verdad de quién es Jesucristo: ¡el Santo de Dios!

ORACIÓN DE ARRANQUE

Mi Abba y mi Rey, soy humano. Sin embargo, me alegro porque sé que aún con mis insuficiencias humanas, estoy completamente capacitado para seguirte. Ayúdame a obedecer el instinto de mi corazón, y predicar que Jesucristo es ¡el santo de Dios!

MI REACCIÓN Y MI ORACIÓN

LA ESCRITURA DE HOY

Isaías 6:5

5 Entonces dije: «¡Todo se ha acabado para mí! Estoy condenado, porque soy un pecador. Tengo labios impuros, y vivo en medio de un pueblo de labios impuros; sin embargo, he visto al Rey, el SEÑOR de los Ejércitos Celestiales».

SABIDURÍA Y REFLEXIÓN

Se un hombre de labios puros, y con tus labios declara que Dios es todo poderoso. Permite que Dios sea absolutamente todo en tu vida.

ORACIÓN DE ARRANQUE

Mi Abba y mi Rey, posee mi mente, mi corazón, mi todo, ¡OH Dios! Enséñame a entender el concepto de que mis propios esfuerzos no son nada, y de que nada ocurre si no es por Tu voluntad. Cuando yo me rinda completamente a Ti, entonces Tú llegaras a ser todo en mi vida. Padre santo, bendice mis labios para que sean puros y siempre declaren la verdad.

MI REACCIÓN Y MI ORACIÓN

Mayo 24

LA ESCRITURA DE HOY

Filipenses 3:10

[10] Quiero conocer a Cristo y experimentar el gran poder que lo levantó de los muertos. ¡Quiero sufrir con él y participar de su muerte,

---

SABIDURÍA Y REFLEXIÓN

¡Erradica tu egocentrismo! Entrégale a Él las riendas de tu vida.

ORACIÓN DE ARRANQUE

Mi Abba y mi Rey, te entrego toda mi vida. Te doy las riendas de mi vida para que me guíes hacia la derecha o la izquierda. Ayúdame a estar atento a Tus mandatos. Padre de la gloria, ¡ayúdame hoy a erradicar mi egocentrismo!

MI REACCIÓN Y MI ORACIÓN

LA ESCRITURA DE HOY

Salmos 91:10-12

[10] Ningún mal te conquistará;
ninguna plaga se acercará a tu hogar. [11] Pues él ordenará a
sus ángeles que te protejan por donde vayas. [12] Te sostendrán
con sus manos para que ni siquiera te lastimes el pie con una
piedra.

SABIDURÍA Y REFLEXIÓN

Ten confianza de que Dios te levantará para que no tropieces. Él te
restaurará, y estará contigo siempre. El Dios de amor y de paz ordenará
que sus Ángeles te cuiden en todos tus caminos.

ORACIÓN DE ARRANQUE

Mi Abba y mi Rey, ayúdame a que mi corazón no se turbe con los
problemas de esta vida ni por las tentaciones del mundo. Guíame para
que no tropiece con piedra alguna; dame confianza firme y segura de
que Tus manos me levantarán y me restaurarán. Mi Dios, enséñame
como entregarte las riendas de mi vida. Prepárame para poder vivir en
paz. ¡OH! ¡El gozo de Tu paz! Tu gozo, Señor, es mi fortaleza.

MI REACCIÓN Y MI ORACIÓN

Mayo 26

LA ESCRITURA DE HOY

Lucas 22:31

Jesús predice la negación de Pedro

[31] "Simón, Simón, Satanás ha pedido zarandear a cada uno de ustedes como si fueran trigo".

SABIDURÍA Y REFLEXIÓN

Vive solo por una cosa: ¡Jesús! Jesús siempre, Jesús solo, Jesús todo en todo.

ORACIÓN DE ARRANQUE

Mi Abba y mi Rey, implanta en mí una devoción renovada por Ti. Jesucristo, ayúdame a vivir solo para Ti, imitándote a través de mi conducta, anticipando lo que Tú harías en mi situación, y tratando siempre de que Tú estés orgulloso de mí.

MI REACCIÓN Y MI ORACIÓN

LA ESCRITURA DE HOY

Juan 3:18-19

[18] "No hay condenación para todo el que cree en él, pero todo el que no cree en él ya ha sido condenado por no haber creído en el único Hijo de Dios. [19] Esta condenación se basa en el siguiente hecho: la luz de Dios llegó al mundo, pero la gente amó más la oscuridad que la luz, porque sus acciones eran malvadas."

SABIDURÍA Y REFLEXIÓN

Ten cuidado de no ser un hipócrita y un traicionero de Jesús. No seas un "hombre de doble animo", igual que Judas. Sirve a Jesús solamente.

ORACIÓN DE ARRANQUE

Mi Abba y mi Rey, corrígeme cuando tropiezo. Límpiame de cualquier tendencia a traicionarte. Ayúdame a ser fiel y no un hipócrita y un traicionero a Ti: hablando como un cristiano, pero actuando como un Judas.

MI REACCIÓN Y MI ORACIÓN

LA ESCRITURA DE HOY

Efesios 3:19

[19] Es mi deseo que experimenten el amor de Cristo, aun cuando es demasiado grande para comprenderlo todo. Entonces serán completos con toda la plenitud de la vida y el poder que proviene de Dios.

SABIDURÍA Y REFLEXIÓN

Ora siempre para que el carácter de Jesucristo reine en ti para que puedas entender Su grandeza. Ora también que por fe Cristo habite en tu corazón, que seas cimentado en amor, y que puedas comprender cuanto ancho y largo, alto y profundo es el amor de Cristo, para que seas lleno de la plenitud de Dios.

ORACIÓN DE ARRANQUE

Mi Abba y mi Rey, fortalece mi fe para que Cristo viva en mi corazón. Dame fuerza, por medio de Tu Espíritu, para combatir todo lo que no proceda de Ti. Ceméntame en amor para poder comprender, cuan ancho y largo, alto y profundo es el amor de Cristo por mí. Padre celestial, lléname de la plenitud de Dios. Gracias que Tú puedes hacer muchísimo más de lo que yo pueda imaginarme o pedirte.

MI REACCIÓN Y MI ORACIÓN

Mayo 29

LA ESCRITURA DE HOY

1 Juan 3:21

21 Queridos amigos, si no nos sentimos culpables, podemos acercarnos a Dios con plena confianza.

SABIDURÍA Y REFLEXIÓN

Admite y date cuenta de tu inclinación pecaminosa en tu vida. Comprométete a hacer lo que le agrada a Dios. Sigue Sus mandamientos y ten confianza absoluta en Él.

ORACIÓN DE ARRANQUE

Mi Abba y mi Rey, te admito mi inclinación pecaminosa y te confieso que muchas veces yo caigo en las trampas de Satanás. Padre, protégeme contra el pecado y sus consecuencias. Ayúdame a tener la disciplina de hacer solamente lo que te agrada a Ti. Ayúdame a tener confianza en Ti, y a seguir Tus mandamientos.

MI REACCIÓN Y MI ORACIÓN

Mayo 30

LA ESCRITURA DE HOY

Juan 15:18

Odio del mundo

[18] "Si el mundo los odia, recuerden que a mí me odió primero".

SABIDURÍA Y REFLEXIÓN

Recuerda que tú no eres del mundo, por eso el mundo te aborrece. Si persiguieron a Jesucristo, también a ti te perseguirán, porque tú perteneces a Cristo. Te trataran así por causa de Su nombre, porque no conocen a Dios.

ORACIÓN DE ARRANQUE

Mi Abba y mi Rey, prepárame para poder enfrentar el aborrecimiento y el odio del mundo, porque no soy del mundo. Padre santo, dame fortaleza y sabiduría para saber como debo de caminar en medio de los ataques y la injusticia. Dios, también dame orgullo de que todos puedan ver a Cristo en mí. ¡Yo escojo a Dios y no a las cosas del mundo!

MI REACCIÓN Y MI ORACIÓN

LA ESCRITURA DE HOY

Daniel 9:5

[5] Pero hemos pecado y hemos hecho lo malo. Nos hemos rebelado contra ti y hemos despreciado tus mandatos y ordenanzas.

SABIDURÍA Y REFLEXIÓN

Admite y reconoce tus pecados y arrepiéntete delante de Dios. Esa es la señal de que tu espíritu esta obrando y que tu rostro se ha vuelto a Dios; sin ninguna excusa.

ORACIÓN DE ARRANQUE

Mi Abba y mi Rey, ayúdame a reconocer mis pecados y límpiame de mi rebeldía contra Ti y contra Tus sagrados mandamientos. Señor Padre, yo me arrepiento completamente por mis pecados y deseo obedecerte en todo. Dios, te ruego que oigas mi oración, pues me siento aislado al mundo donde vivo. Padre santo, hoy me entrego por completo al pie de la Cruz de Jesucristo. Alabado seas Tú por Tu misericordia, por oír y mirar mis asolamientos y por amarme sin ninguna condición.

MI REACCIÓN Y MI ORACIÓN

LA ESCRITURA DE HOY

Salmos 39:6-7

[6] Somos tan sólo sombras que se mueven y todo nuestro ajetreo diario termina en la nada. Amontonamos riquezas sin saber quién las gastará. [7] Entonces, Señor, ¿dónde pongo mi esperanza? Mi única esperanza está en ti.

SABIDURÍA Y REFLEXIÓN

Recuerda que esta vida es muy corta; cuando menos te des cuenta ya todo se acabo, Enfócate en lo que es importante de verdad. Vive una vida de alabanza para la gloria de Dios. ¡Comprométete a caminar con Cristo abandonadamente!

ORACIÓN DE ARRANQUE

Mi Abba y mi Rey, ayúdame a vivir una vida de alabanza para Tu gloria; cualquier otra cosa es una perdida de tiempo. Jehová, protégeme contra las mentiras de Satanás, las cuales me dicen que en este mundo puedo encontrar paz, tranquilidad y alegría con riquezas amontonadas, con popularidad y con poder. Padre Santo, enséñame que esta vida es tan corta como un soplo, y que mi solo objetivo es el gozar de Tu presencia y glorificarte en todo lo que hago. Señor, ¡hoy me comprometo a caminar con Cristo abandonadamente!

MI REACCIÓN Y MI ORACIÓN

LA ESCRITURA DE HOY

Juan 6:70

[70] Entonces Jesús dijo: "Yo los elegí a ustedes doce, pero hay uno de ustedes que es un diablo".

SABIDURÍA Y REFLEXIÓN

Dios sabe exactamente tu carácter y tus posibilidades; Él conoce tu corazón. Ahora tienes que conocerte a ti mismo. Jesús condujo a Pedro de una crisis a la otra hasta que llegó a conocerse a si mismo.

ORACIÓN DE ARRANQUE

Mi Abba y mi Rey, gracias por Tu plan maestro el cual me conduce de una crisis a otra hasta que llego a conocerte mejor y a conocerme a mi mismo. Ayúdame a estar pendiente y a comprender Tu plan; revélame mi "verdadero yo" y hazme vivo para Ti, ¡agradándote!

MI REACCIÓN Y MI ORACIÓN

Junio 3

LA ESCRITURA DE HOY

Mateo 5:19

[19] Entonces, si no hacen caso al más insignificante mandamiento y les enseñan a los demás a hacer lo mismo, serán llamados los más insignificantes en el reino del cielo; pero el que obedece las leyes de Dios y las enseña será llamado grande en el reino del cielo.

SABIDURÍA Y REFLEXIÓN

Sé un hombre bueno, y no le desees el mal a nadie. Se una persona de buen carácter; practica la justicia, enseña los mandamientos, no te enojes con tu hermano, ni le insultes, y ni le maldigas.

ORACIÓN DE ARRANQUE

Mi Abba y mi Rey, te alabo por Tus mandamientos y por amarme tanto que me das una guía para mi vida diaria. Lléname, Dios, de Tu amor y de Tu energía para practicar y enseñar Tus mandamientos. Ayúdame, Dios, a ser bueno y a estar poseído por el Espíritu Santo. Ayúdame también a reconciliar con mi hermano y no desearle el mal a nadie.

MI REACCIÓN Y MI ORACIÓN

Junio 4

LA ESCRITURA DE HOY

Hechos 1:16

16 «Hermanos —les dijo—, las Escrituras tenían que cumplirse con respecto a Judas, quien guió a los que arrestaron a Jesús. Esto lo predijo hace mucho tiempo el Espíritu Santo cuando habló por medio del rey David.

SABIDURÍA Y REFLEXIÓN

Refleja y ora sobre los motivos de tu corazón, incluso en tu egoísmo. Dios conoce todas las manchas que existen en tu corazón y solo Él las puede limpiar.

ORACIÓN DE ARRANQUE

Mi Abba y mi Rey, estudia los motivos de mi corazón y líbrame de todas las manchas que existen en mí corazón. Toma completo control de mi vida. Límpiame de todo egoísmo.

MI REACCIÓN Y MI ORACIÓN

Junio 5

LA ESCRITURA DE HOY

Mateo 5:16

[16] De la misma manera, dejen que sus buenas acciones brillen a la vista de todos, para que todos alaben a su Padre celestial.

SABIDURÍA Y REFLEXIÓN

Deja que Dios obre por medio de Ti. Permite que te posea por completo para que seas un ejemplo y una muestra de la vida de Jesucristo, y así alaben al Padre.

ORACIÓN DE ARRANQUE

Mi Abba y mi Rey, ayúdame a estar alerto para testificar de Tu grandeza y de Tu amor en lo que digo y lo que hago, para que así otros puedan ver a Cristo en mí y alaben al Padre que está en el cielo. Dios, dame madurez para que Te deje obrar por medio de mí. Padre Santo, ¡poséeme por completo!

MI REACCIÓN Y MI ORACIÓN

Junio 6

LA ESCRITURA DE HOY

1 Pedro 1:11

[11] Se preguntaban a qué tiempo y en qué circunstancias se refería el Espíritu de Cristo, que estaba en ellos, cuando les dijo de antemano sobre los sufrimientos de Cristo y de la inmensa gloria que después vendría. Llamados a una vida santa [13] Así que piensen con claridad y ejerciten el control propio. Pongan su esperanza en la salvación inmerecida que recibirán cuando Jesucristo sea revelado al mundo.

SABIDURÍA Y REFLEXIÓN

Permite que Jesús examine tu corazón durante las crisis y las dificultades. Disponte para actuar con inteligencia; ten dominio propio; pon tu esperanza completamente en la Gracia de Jesucristo. Muy a menudo, la única manera de saber si Jesús te ha dado un corazón puro es mediante las crisis y las circunstancias difíciles.

ORACIÓN DE ARRANQUE

Mi Abba y mi Rey, revélame Tus verdades espirituales y crea un nuevo corazón dentro de mí. Padre Santo, en medio de mis dificultades, capacítame para tener dominio propio, actuar con inteligencia, y poner mi esperanza completamente en Ti. Señor, dame un corazón puro y ayúdame a ser santo en mi comportamiento.

MI REACCIÓN Y MI ORACIÓN

Junio 7

LA ESCRITURA DE HOY

Lucas 22:3

³ Entonces Satanás entró en Judas Iscariote, uno de los doce discípulos...

SABIDURÍA Y REFLEXIÓN

Decide siempre por Cristo. Guarda tu alma para no caer en las trampas de los hombres, ni de los demonios, ni del mundo. Nada ni nadie tiene el más mínimo poder sobre tu alma. Abandónate completamente a Jesucristo.

ORACIÓN DE ARRANQUE

Mi Abba y mi Rey, ¡alabado seas Señor porque eres bueno! Gracias Dios por Tu gran amor que perdura para siempre. Amado Señor, yo quiero ser Tuyo por completo; nada ni nadie tiene el más mínimo poder sobre mi alma. Dios de Israel, ayúdame a decidir siempre por Cristo. Hoy me abandono completamente a Jesucristo y me arrodillo al pie de Su cruz con toda humildad y reverencia.

MI REACCIÓN Y MI ORACIÓN

LA ESCRITURA DE HOY

Salmos 78:72

^{72} Lo cuidó con sinceridad de corazón
y lo dirigió con manos diestras.

SABIDURÍA Y REFLEXIÓN

¡Deja tranquila las cosas! No te compliques en enredos que comprometan tu integridad. Si los que están a tu alrededor cometen errores, déjalos tranquilos. Deja que ellos corrijan sus propios errores. Jesucristo rara vez corregía los errores de sus discípulos.

ORACIÓN DE ARRANQUE

Mi Abba y mi Rey, ayúdame a caminar con un corazón tranquillo, siempre sembrando la verdad y pastoreando igual que David, con un corazón sincero. Líbrame de mi tendencia a enredar las cosas, crear una crisis, y comprometer mi integridad, porque me meto a tratar de corregir los errores de otros. Enséñame a dejar tranquila las cosas. Padre Santo, ayúdame a estar cerca de Ti, y a crecer en gracia y en conocimiento de Tu Palabra.

MI REACCIÓN Y MI ORACIÓN

LA ESCRITURA DE HOY

1 Timoteo 6:6

[6] Ahora bien, la verdadera sumisión a Dios es una gran riqueza en sí misma cuando uno está contento con lo que tiene.

SABIDURÍA Y REFLEXIÓN

Diariamente muestra una vida imitada a la de Cristo, satisfecho con lo que tienes, y con buenas características divinas en tu vida.

ORACIÓN DE ARRANQUE

Mi Abba y mi Rey, transforma mi carácter para ser más como Cristo en todas mis características. Padre, mi deseo es ser semejante a Ti. Permite que Tu Espíritu Santo me ayude a manifestar buenas características humanas y divinas en mi vida. Dios todo poderoso, Tu poder y Tu Gracia son lo que necesito para enfrentar el día.

MI REACCIÓN Y MI ORACIÓN

LA ESCRITURA DE HOY

Mateo 6:28

[28] "¿Y por qué preocuparse por la ropa? Miren cómo crecen los lirios del campo. No trabajan ni cosen su ropa".

SABIDURÍA Y REFLEXIÓN

Ten confianza y admite que Dios se enfrentará y resolverá cualquiera de tus problemas sin tu ayuda. No te procures ni por un instante. Permite que Dios sea la fuente de tu vida.

ORACIÓN DE ARRANQUE

Mi Abba y mi Rey, gracias por proveer para todas las necesidades de mi vida. Ayúdame a no preocuparme por nada, pues nada cambia y al mismo tiempo Te insulto porque esto te dice que no te tengo confianza. Dios, hoy admito delante de Ti que Tú puedes resolver cualquiera de mis problemas por Ti solo; no me necesitas a mí para nada.
Sé la fuente de mi vida para crecer en Tu Gracia.

MI REACCIÓN Y MI ORACIÓN

Junio 11

LA ESCRITURA DE HOY

Proverbios 14:14

[14] Los descarriados reciben su merecido;
la gente buena recibe su recompensa.

SABIDURÍA Y REFLEXIÓN

Entrégale a Dios tus debilidades y vulnerabilidades humanas. Es mejor la sabiduría de Dios que los conocimientos del mundo que parecen rectos pero que acaban por ser caminos de muerte.

ORACIÓN DE ARRANQUE

Mi Abba y mi Rey, Te necesito para vencer las tentaciones que me confrontan cada día. ¡Te agradezco por la suficiencia de Tu Gracia y por el poder espiritual! Ayúdame y protégeme en las áreas donde soy vulnerable y débil. Padre Santo, dame Tu sabiduría, y enséñame a caminar por Tus caminos.

MI REACCIÓN Y MI ORACIÓN

Junio 12

LA ESCRITURA DE HOY

Lucas 22:54

Pedro niega a Jesús

[54] Entonces lo arrestaron y lo llevaron a la casa del sumo sacerdote. Y Pedro los siguió de lejos.

SABIDURÍA Y REFLEXIÓN

Ten verdadera lealtad y genuina devoción de corazón a Jesucristo. No lo sigas de lejos; se honrado de conocerlo íntimamente.

ORACIÓN DE ARRANQUE

Mi Abba y mi Rey, Te adoro y te venero, O Dios. Ayúdame a tener verdadera lealtad y genuina devoción de corazón a seguirte de cerca y ser honrado de conocerte íntimamente. Protégeme contra los ataques de desconfianza que me invitan a caer y a negarte.

MI REACCIÓN Y MI ORACIÓN

Junio 13

LA ESCRITURA DE HOY

Salmos 38:21-22

21 No me abandones, oh SEÑOR; no te quedes lejos, Dios mío. 22 Ven pronto a ayudarme, Oh Señor, mi salvador.

SABIDURÍA Y REFLEXIÓN

Pídele a Dios que te ayude ahora mismo, y que te proteja contra las tentaciones y los ataques que te confrontan. Estés seguro que Dios mismo te ayudará, te bendecirá, y te defenderá.

ORACIÓN DE ARRANQUE

Mi Abba y mi Rey, ¡Líbrame de hacer perversiones flagrantes de Tu voluntad! Señor, mi Dios, ¡ayúdame! Por Tu gran amor, ¡sálvame! Que sepan que ésta es Tu mano; que Tú mismo, Señor, lo has hecho. Dios mío, no te alejes de mí. Señor de mi salvación, ¡ven pronto en mi ayuda! ¡Bendíceme! Padre santo. ¡Defiéndeme!

MI REACCIÓN Y MI ORACIÓN

Junio 14

LA ESCRITURA DE HOY

Génesis 2:7

⁷ Luego el SEÑOR Dios formó al hombre del polvo de la tierra. Sopló aliento de vida en la nariz del hombre, y el hombre se convirtió en un ser viviente.

SABIDURÍA Y REFLEXIÓN

Reconoce que Dios es el creador de todo, y que nada ocurre si no es por Su voluntad. Él gobierna el universo. Él es todo poderoso. Pon tu confianza en Él.

ORACIÓN DE ARRANQUE

Mi Abba y mi Rey, mi creador ¡Dios mío, todo poderoso! ¡Alabado sea mi Dios que está sentado en Su trono y gobierna el universo! Padre eterno, ni una hoja se mueve en un árbol si no es por Tu voluntad. De esto estoy completamente seguro. Tengo toda mi confianza y fe en Ti y en todo lo que Tú hagas. Te adoro y Te venero, mi Dios.

MI REACCIÓN Y MI ORACIÓN

Junio 15

LA ESCRITURA DE HOY

2 Pedro 2:15

[15] Se apartaron del buen camino y siguieron los pasos de Balaam, hijo de Beor, a quien le encantaba ganar dinero hacer el mal.

SABIDURÍA Y REFLEXIÓN

Cuídate de las enseñanzas de este mundo. Presta atención a los individuos que representan un peligro oculto. No busques solamente por tu propio provecho y por ganar dinero.

ORACIÓN DE ARRANQUE

Mi Abba y mi Rey, Te necesito para vencer las tentaciones de las enseñanzas de este mundo que me confrontan cada día. Dios, estas "reglas del juego" de este mundo se vuelven contra mí y me tratan de matar. O Señor, por ganar dinero no me quiero entregar a Tus enemigos. Ayúdame a no extraviarme y abandonar el camino recto. ¡Te agradezco por la suficiencia de Tu Gracia y por el poder espiritual!

MI REACCIÓN Y MI ORACIÓN

Junio 16

LA ESCRITURA DE HOY

Isaías 1:4

⁴ ¡Qué nación tan pecadora, pueblo cargado con el peso de su culpa! Está lleno de gente malvada, hijos corruptos que han rechazado al SEÑOR. Han despreciado al Santo de Israel y le han dado la espalda.

SABIDURÍA Y REFLEXIÓN

Ten mucho cuidado de tu manera de vivir. No tengas nada que ver con las obras corruptas. Trata siempre que Dios este orgulloso de ti. Un creyente caído ejercita mucha influencia sobre la comunidad.

ORACIÓN DE ARRANQUE

Mi Abba y mi Rey, yo quiero que estés orgulloso de mi conducta y de mis obras. Ayúdame a tener cuidado de como llevo mi vida, siempre con mucho cuidado de no hacer concesiones con el mundo. Jesús, revélame mi falta y perdóname mi conducta si Te ha provocado a ira. Ayúdame a mantenerme alerta y cuidadoso de la manera en que yo vivo. Padre, ¡hoy me abandono completamente a Ti!

MI REACCIÓN Y MI ORACIÓN

LA ESCRITURA DE HOY

Oseas 14:4

[4] El Señor dice: "Entonces yo los sanaré de su falta de fe; mi amor no tendrá límites, porque mi enojo habrá desaparecido para siempre".

SABIDURÍA Y REFLEXIÓN

No ofendas a Dios pensando que tu inteligencia, habilidades, poder, dinero, contactos, otras cosas fueron creados por ti. No te rebeles contra Dios. Pídele que te perdone y Él te perdonara. También ora por los creyentes caídos.

ORACIÓN DE ARRANQUE

Mi Abba y mi Rey, protégeme contra cualquier rebelión en mí que me quiera apartarse de Tu presencia. Perdóname por ofenderte cuando pienso que soy yo el que controla mi propio destino, porque soy inteligente o porque tengo habilidades. Padre de la gloria, también pido por los hermanos caídos; ayúdalos, como al hijo prodigo, a confesar sus pecados y volver a su Padre.

MI REACCIÓN Y MI ORACIÓN

Junio 18

LA ESCRITURA DE HOY

2 Corintios 4:6

⁶ Pues Dios, quien dijo: «Que haya luz en la oscuridad», hizo que esta luz brille en nuestro corazón para que podamos conocer la gloria de Dios que se ve en el rostro de Jesucristo.

SABIDURÍA Y REFLEXIÓN

Trabaja fuertemente para que reflejes la presencia de Cristo en tu vida, es decir; el carácter de Dios, el amor de Cristo, y la plenitud del Espíritu Santo. Ora, para que la luz de Dios brille en tu corazón y así puedas conocer la gloria de Dios.

ORACIÓN DE ARRANQUE

Mi Abba y mi Rey, mi deseo es que Tu luz sea reflejada en mi vida. Jesús, que grande seria mi alegría si yo pudiera manifestar Tu carácter, el amor de Cristo y la plenitud del Espíritu Santo en mi vida. Padre Santo, que grande seria mi bendición, si otros pudieran oler el aroma de Cristo en mí. Padre de la gloria, permite que Tu luz brille en mi corazón, para poder conocer Tu Gloria.

MI REACCIÓN Y MI ORACIÓN

Junio 19

LA ESCRITURA DE HOY

1 Corintios 6:6-7

[6] Sino que un creyente demanda a otro, ¡justo frente a los incrédulos! [7] El hecho de que tengan semejantes demandas legales unos contra otros es en sí una derrota para ustedes. ¿Por qué mejor no aceptar la injusticia y dejar el asunto como está? ¿Por qué no se dejan estafar?

SABIDURÍA Y REFLEXIÓN

Ora intercesoriamente por los hermanos caídos. Ora también por una atmósfera santa; esto es un cargo sumamente importante. Pídele al Espíritu Santo que te abra el camino.

ORACIÓN DE ARRANQUE

Mi Abba y mi Rey, enséñame como tratar y orar por un caído. Ayúdame a estar alerta a las necesidades espirituales del alma descarriada. Dame conocimiento y sabiduría para saber cómo orar, y dame fuerza para mantenerme sumido cada momento en la vida limpia de Dios mientras oro por el caído.

MI REACCIÓN Y MI ORACIÓN

Junio 20

LA ESCRITURA DE HOY

Hebreos 12:14

Un llamado a escuchar a Dios

[14] Esfuércense por vivir en paz con todos y procuren llevar una vida santa, porque los que no son santos no verán al Señor.

SABIDURÍA Y REFLEXIÓN

Busca la paz con todos, y la santidad, la cual producirá felicidad.

ORACIÓN DE ARRANQUE

Mi Abba y mi Rey, ayúdame a buscar la paz con todos, y la santidad. Crea en mi un conocimiento completo de lo que es una vida santa y dame la sabiduría papa poder ser victorioso y llegar a esa meta. Padre, dame madurez para entender que mi estado de ánimo, como mi felicidad, será la consecuencia y no la causa de mi relación contigo.

MI REACCIÓN Y MI ORACIÓN

Junio 21

LA ESCRITURA DE HOY

Mateo 7:21

Verdaderos discípulos

²¹ »No todo el que me llama: "¡Señor, Señor!" entrará en el reino del cielo. Sólo entrarán aquellos que verdaderamente hacen la voluntad de mi Padre que está en el cielo».

SABIDURÍA Y REFLEXIÓN

Se guiado por el Espíritu Santo. No dejes que tu vanidad te lleve a irritación y a envidio a tu próximo. Tu vida debe manifestar un carácter y una conducta llena de amor, alegría, paz, paciencia, amabilidad, bondad, fidelidad, humildad, y dominio propio.

ORACIÓN DE ARRANQUE

Mi Abba y mi Rey, ayúdame a controlar mi vanidad, mi ego, y el valor que yo me tengo a mí mismo. Protégeme contra la envidia; escudriña mis motivos. Espíritu Santo, dame más amor, alegría, paz, paciencia, amabilidad, bondad, fidelidad, humildad y dominio propio. Ayúdame a ser Tuyo por completo. Siempre haciendo Tu voluntad, y con un carácter y con conducta digna de mi fe cristiana.

MI REACCIÓN Y MI ORACIÓN

Junio 22

LA ESCRITURA DE HOY

Marcos 5:34

[34] Y él le dijo: «Hija, tu fe te ha sanado. Ve en paz. Se acabó tu sufrimiento».

SABIDURÍA Y REFLEXIÓN

¡Tráele a Dios cualquier cosa o cualquier persona! Él puede sanar y poner a cualquier persona en una buena relación con sí mismo.

ORACIÓN DE ARRANQUE

Mi Abba y mi Rey, gracias por Tu promesa de sanar la aflicción de cualquier persona, sin importar quién es ni lo que ha hecho. Te alabo, Señor, por Tu poder para vencer todas las pruebas y problemas de la vida. Ruego por la fe de mi familia y de mis amigos, al igual que ruego por el crecimiento de mi propia fe.

MI REACCIÓN Y MI ORACIÓN

Junio 23

LA ESCRITURA DE HOY

Juan 11:4

4 Cuando Jesús oyó la noticia, dijo: «La enfermedad de Lázaro no acabará en muerte. Al contrario, sucedió para la gloria de Dios, a fin de que el Hijo de Dios reciba gloria como resultado».

SABIDURÍA Y REFLEXIÓN

Un reto de nuestra fe es el reconocer que Dios permite que ocurran ciertas cosas para así, glorificarse a Sí mismo. Por lo tanto, escoge el bien todos los días. No camines como un siego porque vas a tropezar- busca siempre la luz de Dios. Dios dispondrá.

ORACIÓN DE ARRANQUE

Mi Abba y mi Rey, enséñame que estás completamente en control, y que tengo a Tu Espíritu Santo para darme confort, consejo y ayuda. Padre Santo, ayúdame a no caminar en la oscuridad; sin Ti voy a tropezar. Jehová, necesito Tu luz para ver claramente. Jesús, solamente Tú puedes transformar la muerte en vida, la tristeza en alegría, el fracaso en éxito, la tristeza en alegría, el fracaso un éxito, y la derrota en victoria. ¡Gloria a Dios!

MI REACCIÓN Y MI ORACIÓN

Junio 24

LA ESCRITURA DE HOY

Lucas 8:35

³⁵ La gente salió corriendo para ver lo que había pasado. Pronto una multitud se juntó alrededor de Jesús, y todos vieron al hombre liberado de los demonios. Estaba sentado a los pies de Jesús, completamente vestido y en su sano juicio, y todos tuvieron miedo.

SABIDURÍA Y REFLEXIÓN

Acércate a Jesús, el Hijo del Dios Altísimo, y pídele Su ayuda para tus problemas. Jesucristo puede cambiar y sanar todo, ¡Completamente!

ORACIÓN DE ARRANQUE

Mi Abba y mi Rey, protégeme a mí y a mi familia contra los ataques del diablo y sus demonios. Píntame completamente con la sangre que Jesucristo derramó en la cruz por mis pecados. Padre Santo, ruego que Tu Espíritu Santo interceda por mí durante toda tentación al pecado, y me cambie hacia el bien. Sáname, amado Dios, de mi falta de fe. Yo estoy seguro de que Tú puedes cambiar y sanar todo. ¡Completamente!

MI REACCIÓN Y MI ORACIÓN

Junio 25

LA ESCRITURA DE HOY

Salmos 71:14

¹⁴ Seguiré con la esperanza de tu ayuda; te alabaré más y más.

SABIDURÍA Y REFLEXIÓN

Acuérdate de los milagros que han ocurrido en tu vida. Recuerda Su justicia. Él ha hecho grandes cosas por ti. ¡Dios ha salvado tu vida! ¡Dios te volverá a levantar! ¡Dios te volverá a dar vida!

ORACIÓN DE ARRANQUE

Mi Abba y mi Rey, te alabo, Jehová por Tu justicia. ¡Gracias por Tus justas acciones! Amado Dios, eres soberano y lo sabes todo. Protégeme contra mi propia actitud cuando estoy pasando por momentos infortunios; sálvame de la tendencia a mi propia destrucción, y ayúdame a reconocer Tu propósito. Tengo esperanza y seguridad que volverás a levantarme, volverás a darme vida, y volverás a consolarme. ¡Alabado sea Dios!

MI REACCIÓN Y MI ORACIÓN

Junio 26

LA ESCRITURA DE HOY

Hechos 10:34-35

Los gentiles oyen la Buena Noticia

[34] Entonces Pedro respondió:—Veo con claridad que Dios no muestra favoritismo. [35] En cada nación, él acepta a los que lo temen y hacen lo correcto.

SABIDURÍA Y REFLEXIÓN

Se guiado por el Espíritu Santo. Teme a Dios, actúa con justicia, y predica a Jesucristo y a este crucificado. Dale gracias a Dios por Su justicia hacia ti, y por el amor que ha mostrado.

ORACIÓN DE ARRANQUE

Mi Abba y mi Rey, te alabo por el amor y la justicia que has mostrado para todo el mundo, para mí, y para mi familia. Espíritu de Dios, guía todos mis pasos y ayúdame solamente a predicar a Jesucristo y a este crucificado.

MI REACCIÓN Y MI ORACIÓN

LA ESCRITURA DE HOY

Juan 16:33

33 Les he dicho todo lo anterior para que en mí tengan paz.
Aquí en el mundo tendrán muchas pruebas y tristezas; pero
anímense, porque yo he vencido al mundo.

SABIDURÍA Y REFLEXIÓN

Pide en Su nombre. Todo lo que pidas en Su nombre, Él te lo dará.
Para que tu alegría sea completa. En este mundo tendrás sufrimientos,
pero en Jesucristo hallaras paz.

ORACIÓN DE ARRANQUE

Mi Abba y mi Rey, gracias por Tu promesa de darme todo lo que yo
pida en el nombre de Jesucristo. En Ti hay gozo y felicidad. ¡Aleluya que
Tú has vencido al mundo! Afrontare aflicciones, ¡pero Tú ya has
vencido! Dios, quiero vivir en el gozo del perdón y de Tu favor.
Ayúdame a que mi vida refleje este gozo para que otros lo puedan ver
en mis acciones y mi comportamiento.

MI REACCIÓN Y MI ORACIÓN

LA ESCRITURA DE HOY

Salmos 91:2

2 Declaro lo siguiente acerca del SEÑOR:
Sólo él es mi refugio, mi lugar seguro;
él es mi Dios y en él confío.

SABIDURÍA Y REFLEXIÓN

Acepta el refugio de Dios. Dios tiene todos los recursos disponibles para protegerte de cualquier cosa. Él te liberará de las trampas del pecado, la miseria, y la angustia, y te cubrirá con Sus plumas.

ORACIÓN DE ARRANQUE

Mi Abba y mi Rey, hoy me acojo completamente a Tu abrigo de protección contra las trampas del pecado, la miseria, y la angustia. Líbrame de estas plagas. En Ti confió. Cuídame con Tus alas protectoras. Dame refugio y se mi escudo. Padre Santo, líbrame del temor y el miedo que me debilita y que congela mi fe y mi confianza en Ti.

MI REACCIÓN Y MI ORACIÓN

LA ESCRITURA DE HOY

Mateo 17:20

20 —Ustedes no tienen la fe suficiente —les dijo Jesús—. Les digo la verdad, si tuvieran fe, aunque fuera tan pequeña como una semilla de mostaza, podrían decirle a esta montaña: "Muévete de aquí hasta allá", y la montaña se movería. Nada sería imposible.

SABIDURÍA Y REFLEXIÓN

Ten fe en Jesús y nada será imposible. Depende del Espíritu Santo, creyendo que Jesucristo puede hacerlo todo. Esta es la mejor medicina contra la depresión y la desesperación.

ORACIÓN DE ARRANQUE

Mi Abba y mi Rey, dependeré de Ti, Señor, al tratar hoy con personas necesitadas; al igual que con depresión y con mi desesperación. Ayúdame, Dios, a orar y ayunar para acercarme más a Ti y poder oír Tus instrucciones, Tu consejo y Tu voz alentadora. Espíritu Santo, confió en Ti y dependo de que intercedas por mí y por las personas que te presento.

MI REACCIÓN Y MI ORACIÓN

LA ESCRITURA DE HOY

Juan 20:29

^{29} Entonces Jesús le dijo:

—Tú crees porque me has visto, benditos los que creen sin verme.

SABIDURÍA Y REFLEXIÓN

Cree sin ninguna reservación. Ten fe en la capacidad de Jesucristo de derramar Su bálsamo sobre tus nervios cansados y crispados, echar a fuera demonios, y transformar por completo el panorama. ¡Abre los ojos y recibirás los milagros de Dios!

ORACIÓN DE ARRANQUE

Mi Abba y mi Rey, gracias por Tus milagros y por Tu presencia en mi vida. Todos los días me enseñas que vives y que estás en control. Dios, tengo confianza total en la capacidad de Jesucristo de derramar Su bálsamo Sobre mis nervios cansados y crepados. Padre Celestial, ayúdame a incrementar mi fe en Ti.

MI REACCIÓN Y MI ORACIÓN

LA ESCRITURA DE HOY

Mateo 9:35

La necesidad de obreros

^{35} Jesús recorrió todas las ciudades y aldeas de esa región, enseñando en las sinagogas y anunciando la Buena Noticia acerca del reino; y sanaba toda clase de enfermedades y dolencias.

SABIDURÍA Y REFLEXIÓN

Pídele a Dios que envíe obreros a sus ministerios. Quítate de en medio con tu conocimiento limitado; permite que el Espíritu Santo presente a Jesucristo a las personas que no Lo conocen.

ORACIÓN DE ARRANQUE

Mi Abba y mi Rey, ilumina mi camino y dame conocimiento para que mi personalidad, mi ego y mi ignorancia salgan de en medio para permitir que el Espíritu Santo haga Su trabajo. Padre Celestial conviérteme en Tu vehículo para que los que no te conozcan puedan conocer la belleza de Cristo cara a cara.

MI REACCIÓN Y MI ORACIÓN

Julio 2

LA ESCRITURA DE HOY

Lucas 4:32

[32] Allí también la gente quedó asombrada de su enseñanza, porque hablaba con autoridad.

SABIDURÍA Y REFLEXIÓN

Tráele todos los casos en intercesión a Jesús. ¡No hay ningún caso demasiado difícil para Jesucristo!

ORACIÓN DE ARRANQUE

Mi Abba y mi Rey, ¡creo en Tu poder omnipotente! Creo también en Tu completa autoridad, sobre todo. Ayúdame a presentarte con consistencia, mediante la dependencia en Tu Espíritu Santo a las almas que necesitan Tu milagroso y amoroso toque. ¡Padre Santo, yo estoy seguro de que no hay ningún caso demasiado difícil para Ti!

MI REACCIÓN Y MI ORACIÓN

Julio 3

LA ESCRITURA DE HOY

Salmos 79:9

[9] ¡Ayúdanos, oh Dios de nuestra salvación!
Ayúdanos por la gloria de tu nombre;
sálvanos y perdona nuestros pecados
por la honra de tu nombre.

SABIDURÍA Y REFLEXIÓN

Tráele a Jesús todas tus memorias y emociones heridas. Solo el Cristo que da e imparte vida puede tocar esas dolorosas emociones.

ORACIÓN DE ARRANQUE

Mi Abba y mi Rey, como humano tengo la debilidad de tener memorias angustiadas y dolorosas emociones. Padre mío, trae sanidad a mis emociones heridas. Padre Santo, líbrame y perdona mis pecados; ¡Venga pronto Tu misericordia, porque estoy totalmente abatido! Aquí está mi lista:

MI REACCIÓN Y MI ORACIÓN

Julio 4

LA ESCRITURA DE HOY

1 Timoteo 4:16

16 Ten mucho cuidado de cómo vives y de lo que enseñas. Mantente firme en lo que es correcto por el bien de tu propia salvación y la de quienes te oyen.

SABIDURÍA Y REFLEXIÓN

Concéntrate en tu conducta y en la obra de Dios. Prepárate, leyendo la Palabra de Dios, para que puedas enseñar y animar a los hermanos.

ORACIÓN DE ARRANQUE

Mi Abba y mi Rey, enséñame a aprender de los buenos ejemplos de otros. Prepárame y dame la capacidad de prestar atención a lo que leo en Tus Escrituras, para así poder enseñar y animar a los hermanos. Protégeme, Dios, contra cualquier conducta que se centre en mi mismo, o que se pueda convertir en algo anti-cristo. Yo deseo ser un obrero aprobado por Ti. En Tu poder bendice a los que me escuchen predicar Tus palabras.

MI REACCIÓN Y MI ORACIÓN

Julio 5

LA ESCRITURA DE HOY

2 Timoteo 2:15

Un obrero aprobado

[15] Esfuérzate para poder presentarte delante de Dios y recibir su aprobación. Sé un buen obrero, alguien que no tiene de qué avergonzarse y que explica correctamente la palabra de verdad.

SABIDURÍA Y REFLEXIÓN

Prepárate para que puedas presentar el mensaje de Cristo con toda confianza; interpretando rectamente la Palabra de Dios.

ORACIÓN DE ARRANQUE

Mi Abba y mi Rey, ayúdame a prepararme y a tener la disciplina para saber presentar el Evangelio de Jesucristo: a mi familia, a mis amigos, y a otros; y así poder servirte con eficacia. Dame conocimiento de Tu palabra y sabiduría para poder interpretar rectamente la palabra de verdad. Prepara mi mente y mi cuerpo para aprender a amarte con todo mi corazón, y con toda mi alma y con toda mi fuerza.

MI REACCIÓN Y MI ORACIÓN

Julio 6

LA ESCRITURA DE HOY

2 Timoteo 2:16

¹⁶ Evita las conversaciones inútiles y necias, que sólo llevan a una conducta cada vez más mundana.

SABIDURÍA Y REFLEXIÓN

Manifesté una vida limpia de palabrerías profanas. Prepárate para hacer toda obra buena; exhibiendo los frutos de una vida piadosa como: la justicia, la fe, el amor, y la paz.

ORACIÓN DE ARRANQUE

Mi Abba y mi Rey, ayúdame a mantenerme limpio de todo pecado y de malas intenciones. Protégeme contra estas cosas: las malas pasiones, las preocupaciones, el odio, y las palabrerías profanas. Padre Santo, enséñame a prestar atención a mi preparación a toda buena obra. Guiame hacia una vida piadosa, y llena mi corazón de los siguientes frutos: la justicia, la fe, el amor, y la paz.

MI REACCIÓN Y MI ORACIÓN

Julio 7

LA ESCRITURA DE HOY

2 Timoteo 2:23

²³ Te repito: no te metas en discusiones necias y sin sentido que sólo inician pleitos.

SABIDURÍA Y REFLEXIÓN

Sé amable con todos, capaz de enseñar y no propenso a irritarte. Evita la controversia. Deja que otros se salgan con la suya. No tengas nada que ver con discusiones necias. Todo esto enciende la furia en el corazón y termina en pleitos.

ORACIÓN DE ARRANQUE

Mi Abba y mi Rey, sáname de esta codicia de siempre vindicarme a mí mismo. Cuídame de no ser inducido a la controversia. Padre Santo, dame madurez para no tener nada que ver con discusiones necias y sin sentido, las cuales terminan en pleitos. Ayúdame a no ser propenso a irritarme, y a ser amable con todos.

MI REACCIÓN Y MI ORACIÓN

Julio 8

LA ESCRITURA DE HOY

2 Timoteo 3:14

[14] Pero tú debes permanecer fiel a las cosas que se te han enseñado. Sabes que son verdad, porque sabes que puedes confiar en quienes te las enseñaron.

SABIDURÍA Y REFLEXIÓN

Mantente firme en la Palabra de Dios. La Biblia te puede dar la sabiduría necesaria para reprender, para corregir, y para instruir en la justicia. ¡Acércate a Él con más frecuencia!

ORACIÓN DE ARRANQUE

Mi Abba y mi Rey, mantenme firme en lo que he aprendido y de lo cual estoy convencido. Padre de la Gloria, solidifica Tu palabra en mí para tener una comprensión mas clara de Ti, y por lo tanto poder servirte con más capacidad. Permite que Tu Palabra me dé la sabiduría necesaria para corregir, y para instruir en la justicia. Mi Dios, no permitas que yo obstaculice a los que están tratando de acercarse a Ti.

MI REACCIÓN Y MI ORACIÓN

Julio 9

LA ESCRITURA DE HOY

Amós 6:1

6 ¡Qué aflicción les espera a ustedes que están a sus anchas en medio de lujos en Jerusalén, y a ustedes que se sienten seguros en Samaria! Son famosos y conocidos en Israel, y la gente acude a ustedes en busca de ayuda.

SABIDURÍA Y REFLEXIÓN

Predica la palabra; corrige, reprende y anima con mucha paciencia. "Sé prudente en todas las circunstancias. Dedícate a la evangelización, y cumple con los deberes de tu ministerio" (2 Tim. 4:5) ¡Que Dios te estimule para que empieces a leer su palabra! Y a orar ¡y a testificar!

ORACIÓN DE ARRANQUE

Mi Abba y mi Rey, despiértame para estar alerta y activo en Tu reino. ¡Estimúlame para empezar a leer Tu palabra! ¡Y a orar y a testificar! Ayúdame a combatir cualquier obstáculo que se presente contra mi conducta. Enséñame a corregir, reprender y animar con mucha paciencia. Padre Santo, fortaléceme para poder ser prudente en todas las circunstancias, dedicarme a la evangelización, y cumplir con los deberes de mi ministerio.

MI REACCIÓN Y MI ORACIÓN

LA ESCRITURA DE HOY

1 Timoteo 4:12

[12] No permitas que nadie te subestime por ser joven. Sé un ejemplo para todos los creyentes en lo que dices, en la forma en que vives, en tu amor, tu fe y tu pureza.

SABIDURÍA Y REFLEXIÓN

Sé un ejemplo a seguir y un modelo de lo que predicas. Tu vida debe de estar en armonía con el Evangelio y respaldada por tu conducta, pureza y forma de vida.

ORACIÓN DE ARRANQUE

Mi Abba y mi Rey, ayúdame a ser un modelo y un ejemplo a seguir en mi manera de hablar, en mi conducta, en mi amor, fe y pureza.
Líbrame del poder de los malvados y violentos; que no me menosprecien y me confundan. Sé Tú mi roca de refugio y mi fortaleza.
Enséñame a caminar contigo diariamente para formar una vida pura y recta y que pueda ser un obrero cristiano aprobado por Ti.

MI REACCIÓN Y MI ORACIÓN

LA ESCRITURA DE HOY

Santiago 4:6

[6] Sin embargo, él nos da aún más gracia, para que hagamos frente a esos malos deseos. Como dicen las Escrituras:

«Dios se opone a los orgullosos
pero muestra su favor a los humildes».

SABIDURÍA Y REFLEXIÓN

Sé humilde y de buen trato con otros. Rinde tu orgullo completamente a Jesús. Dios es todo misericordioso y te dará gracia. Y te protegerá.

ORACIÓN DE ARRANQUE

Mi Abba y mi Rey, Te doy alabanza y gloria, Oh Dios, por la misericordia que me has mostrado. Permíteme expresar esa misericordia en mi trato con los demás. Protégeme contra el orgullo. Padre, también Te pido que me libres de mis perseguidores. Atiende mi clamor porque no tengo la fuerza ni la capacidad para resolver mis problemas; Te los entrego en Tu bandeja de amor y me refugio en Tu castillo de protección.

MI REACCIÓN Y MI ORACIÓN

Julio 12

LA ESCRITURA DE HOY

Hebreos 11:4

[4] Fue por la fe que Abel presentó a Dios una ofrenda más aceptable que la que presentó Caín. La ofrenda de Abel demostró que era un hombre justo, y Dios aprobó sus ofrendas. Aunque Abel murió hace mucho tiempo, todavía nos habla por su ejemplo de fe.

SABIDURÍA Y REFLEXIÓN

Ríndele a Dios, tu voluntad, tu trabajo, tus pensamientos, y tu actitud. Preséntale a Dios tu vida en su altar de sacrificas; y pídele que cambie la identidad de tu sacrificio, de lo físico a lo espiritual.

ORACIÓN DE ARRANQUE

Mi Abba y mi Rey, lo rindo todo a Ti y a Tu santa voluntad. Ayúdame a sacrificarte todo: mi trabajo, mis pensamientos y mi actitud. Hoy mismo Te presento mi vida como una ofrenda sobre Tu altar. Padre Santo, acepta mi ofrenda y cambia mi identidad de lo físico a lo espiritual para que Te traiga gloria y honor.

MI REACCIÓN Y MI ORACIÓN

Julio 13

LA ESCRITURA DE HOY

Salmos 4:8

8 En paz me acuesto y me duermo,
porque solo tú, Señor, me haces vivir confiado

SABIDURÍA Y REFLEXIÓN

Nunca nadie puede estar completamente preparado para el desastre o la tragedia. Pero cuando surgen tiempos difíciles, es bueno saber que Dios ha anticipado ya nuestras necesidades, y que Él ha proporcionado, en las Sagradas Escrituras, una hoja de ruta a la cual podemos acudir para recibir ayuda.

ORACIÓN DE ARRANQUE

Padre, mediante la calma y el control que infundes en mí, yo demuestro mi confianza en que Tu satisfarás mis necesidades. Te confieso que sé que en mi vida no hay tales cosas como las casualidades. Tú ordenas todas mis circunstancias.

MI REACCIÓN Y MI ORACIÓN

Julio 14

LA ESCRITURA DE HOY

Romanos 14:17

[17] Pues el reino de Dios no se trata de lo que comemos o bebemos, sino de llevar una vida de bondad, paz y alegría en el Espíritu Santo.

SABIDURÍA Y REFLEXIÓN

Se consciente de la presencia interior de Dios y de los propósitos de Dios, en los planes de Dios y en las ideas de Dios; esfuérzate por promover todo lo que conduzca a la paz y mutua edificación. Haz el bien, y ofrece justicia en nombre de Dios.

ORACIÓN DE ARRANQUE

Mi Abba y mi Rey, guíame a promover todo lo que conduzca a la paz y a la mutua edificación. Enséñame a tener el coraje y la convicción en Ti para no insultar a nadie, ni usar lenguaje ofensivo. Padre de la Gloria, ayúdame a ver a cualquier ataque contra mí como una oportunidad para hacer el bien. Hazme conocer cómo ofrecer justicia, paz y alegría en Tu nombre. Mi amparo, hoy estoy consciente de Tu presencia en mi alma, de Tus propósitos, planes, e ideas.

MI REACCIÓN Y MI ORACIÓN

Julio 15

LA ESCRITURA DE HOY

Juan 9:4

[4] Debemos llevar a cabo cuanto antes las tareas que nos encargó el que nos envió. Pronto viene la noche cuando nadie puede trabajar.

SABIDURÍA Y REFLEXIÓN

Sigue avanzando hacia la meta sin depender de tus sentimientos o de tus circunstancias. Depende de Dios que dirija tus caminos diariamente.

ORACIÓN DE ARRANQUE

Mi Abba y mi Rey, quiero avanzar hacia la meta y llevar a cabo la obra por la cual Tú me envías. Señor Jesús, dirige mis caminos y haz Tu voluntad para que mi vida sea enteramente consagrada a Ti.

MI REACCIÓN Y MI ORACIÓN

Julio 16

LA ESCRITURA DE HOY

Juan 1:14

[14] Entonces la Palabra se hizo hombre y vino a vivir entre nosotros. Estaba lleno de fidelidad y amor inagotable. Y hemos visto su gloria, la gloria del único Hijo del Padre.

SABIDURÍA Y REFLEXIÓN

Aprende a conocer la verdad a través del filtro de Dios. No puedes conocer la verdad fuera de Él. Anhela conocer Su verdad, y el camino de Su voluntad.

ORACIÓN DE ARRANQUE

Mi Abba y mi Rey, anhelo conocer Tu verdad, y el camino de Tu voluntad. Quiero conocer la verdad de la plenitud de vida en Cristo. Yo sé que Jesús es la verdad, y que no puedo conocer la verdad fuera de Él. ¡Alabado seas Tú, Jesús; estás lleno de gracia y de verdad!

MI REACCIÓN Y MI ORACIÓN

Julio 17

LA ESCRITURA DE HOY

Juan 18:38

[38] —¿Qué es la verdad? —preguntó Pilato.

Entonces salió de nuevo a donde estaba el pueblo y dijo:

—Este hombre no es culpable de ningún delito,

SABIDURÍA Y REFLEXIÓN

Llénate del conocimiento de Dios. Los límites de tu conocimiento deben motivarte a obtener la verdad en oración y estudio.

ORACIÓN DE ARRANQUE

Mi Abba y mi Rey, Espíritu de Dios, crea en mí un corazón lleno de gracia y una mente llena de conocimiento de Ti. Mi Padre y mi Rey, ayúdame a obtener y mantener la verdad, orando y estudiando Tu palabra, siempre ensanchando y transformado continuamente los limites de mi conocimiento. Dame fortaleza en la búsqueda de tal conocimiento.

MI REACCIÓN Y MI ORACIÓN

Julio 18

LA ESCRITURA DE HOY

Efesios 4:25

²⁵ Así que dejen de decir mentiras. Digamos siempre la verdad a todos porque nosotros somos miembros de un mismo cuerpo.

SABIDURÍA Y REFLEXIÓN

Habla siempre la verdad y evita toda conversación obscena. No te enojes porque le abres la puerta al diablo. Sé bondadoso y compasivo con todos. Perdona, así como Dios te perdonó en Cristo.

ORACIÓN DE ARRANQUE

Mi Abba y mi Rey, ayúdame a abandonar toda forma de malicia cómo: amargura, ira y enojo, gritos y calumnias. Líbrame de hablar con falsedad y ayúdame a evitar toda conversación obscena. Padre Celestial, crea en mí un deseo de querer siempre hablar la verdad. Mi Dios, yo deseo ser una persona honrada, compasiva, y bondadosa. Yo deseo que Tú Te sientas orgulloso de mi conducta y de mi lenguaje.

MI REACCIÓN Y MI ORACIÓN

Julio 19

LA ESCRITURA DE HOY

Salmos 139:2-3

² Sabes cuándo me siento y cuándo me levanto; conoces mis pensamientos aún cuando me encuentro lejos.
³ Me ves cuando viajo y cuando descanso en casa. Sabes todo lo que hago.

SABIDURÍA Y REFLEXIÓN

¡Ten confianza que Dios está en todo y que nada sucede a menos que Él lo permita! Él te conoce íntimamente. Él sabe lo que tú piensas. Su cuidado rodea cada incidente y evento en tu vida. ¡Ten confianza en medio de todas tus situaciones!

ORACIÓN DE ARRANQUE

Mi Abba y mi Rey, mi Dios, Jehová, gracias por quererme tanto. El consuelo de Tu proximidad en todos los eventos de mi vida me fortalece. ¡Estoy confiado que estás en todo! Y que nada sucede a menos que Tú lo permitas. ¡Padre Celestial, mis trajines y descansos los conoces; todos mis caminos Te son familiares, me siento confiado en medio de todas mis actividades y situaciones! ¡Tú eres el ingeniero de todo!

MI REACCIÓN Y MI ORACIÓN

Julio 20

LA ESCRITURA DE HOY

Juan 8:32

[32] Y conocerán la verdad, y la verdad los hará libres.

SABIDURÍA Y REFLEXIÓN

Ten confianza en la Palabra de Dios. La verdad te hará libre. Mantente fiel a las enseñanzas de Dios. Sé consistente en tus actitudes y tus acciones. ¡La Palabra te liberará de tus viejos hábitos!

ORACIÓN DE ARRANQUE

Mi Abba y mi Rey, oro que Tu palabra siempre se manifieste en mí. Ayúdame a mantenerme fiel a Tus enseñanzas. Líbrame de mis viejos hábitos. Padre Santo, dame confianza en el poder y la verdad de Tu palabra; yo sé que la verdad me hará libre. Gracias, Dios, ¡por Tus promesas!

MI REACCIÓN Y MI ORACIÓN

Julio 21

LA ESCRITURA DE HOY

Efesios 5:27

[27] Lo hizo para presentársela a sí mismo como una iglesia gloriosa, sin mancha ni arruga ni ningún otro defecto. Será, en cambio, santa e intachable.

SABIDURÍA Y REFLEXIÓN

Ama a tu esposa, pues te estás amando a ti mismo; "Ámala como Cristo amo a la Iglesia y se entregó por ella para hacerla Santa". La persona que está "en Cristo", debe de manifestar las mismas cualidades de Cristo en su vida corporal.

ORACIÓN DE ARRANQUE

Mi Abba y mi Rey, ayúdame a amar a mi esposa cómo Tú amaste a la iglesia y Te entregaste por ella para hacerla santa. Jesús, ayúdame a amarla cómo a mi propio cuerpo. Dios, yo deseo manifestar las cualidades y las características de Jesucristo en mi vida corporal. Enséñame cómo presentar, proteger, purificar y amar a mi esposa, así como Cristo se entregó por la Iglesia.

MI REACCIÓN Y MI ORACIÓN

Julio 22

LA ESCRITURA DE HOY

Mateo 17:5

⁵ No había terminado de hablar cuando una nube brillante los cubrió, y desde la nube una voz dijo: «Este es mi Hijo muy amado, quien me da gran gozo. Escúchenlo a él».

SABIDURÍA Y REFLEXIÓN

Lee la Biblia con consistencia y con disciplina, pues Dios habla a través de la Biblia. La Biblia es la revelación final que interpreta el significado del nacimiento, la vida, y la muerte de Cristo. Las verdades en la Biblia no se pueden cambiar nunca. El Espíritu Santo te ayudará a interpretarla. ¡Escucha a Dios!

ORACIÓN DE ARRANQUE

Mi Abba y mi Rey, gracias por Tu palabra la cual es irrevocable. Espíritu Santo, abre mis ojos y mis oídos para poder entender Tu palabra. Padre, dame fuerza, consistencia y disciplina para leer con frecuencia Tus escrituras. Jehová, ¡ayúdame a escucharte!

MI REACCIÓN Y MI ORACIÓN

Julio 23

LA ESCRITURA DE HOY

2 Timoteo 3:16

[16] Toda la Escritura es inspirada por Dios y es útil para enseñarnos lo que es verdad y para hacernos ver lo que está mal en nuestra vida. Nos corrige cuando estamos equivocados y nos enseña a hacer lo correcto.

SABIDURÍA Y REFLEXIÓN

"Permanece firme en todo lo que has aprendido" en la Biblia. En la palabra de Dios puedes encontrar la sabiduría necesaria para estar completamente capacitado para toda buena obra. La Biblia es la palabra inspirada que interpreta para nosotros a Dios y a su verdad.

ORACIÓN DE ARRANQUE

Mi Abba y mi Rey, gracias por tus enseñanzas. Afirmo mi creencia en la Biblia como tus propias Palabras. Estoy firme de lo que he aprendido y estoy convencido que toda la Escritura es inspirada por Ti y útil "para enseñar, para reprender, para corregir y para insistir en la justicia". Espíritu Santo, regenérame con eficacia e identifícame con Cristo. Ayúdame, Dios Santo, a prepararme con la Palabra de Dios para estar "enteramente capacitado".

MI REACCIÓN Y MI ORACIÓN

Julio 24

LA ESCRITURA DE HOY

Juan 17:17

[17] Hazlos santos con tu verdad; enséñales tu palabra, la cual es verdad.

SABIDURÍA Y REFLEXIÓN

Obedece la Palabra de Dios. Sé un buen discípulo de Jesucristo-glorifícalo con tu vida. Incorpora la alegría de Cristo en plenitud y no seas de este mundo.

ORACIÓN DE ARRANQUE

Mi Abba y mi Rey, gracias por tu obra lograda para mí de reconciliación contigo; ahora quiero asociar mi vida con Tus propósitos. Padre Santo, ayúdame a ser un buen discípulo; siempre incorporando la alegría de Cristo en plenitud. Padre, ayúdame también a ser completamente Tuyo y no de este mundo. Perfecciona tu obra de gracia en mi corazón y mi vida. Padre Celestial, de acuerdo con Tu voluntad, santifícame en la verdad; Tu Palabra es la verdad.

MI REACCIÓN Y MI ORACIÓN

Julio 25

LA ESCRITURA DE HOY

Hebreos 9:12

[12] Con su propia sangre —no con la sangre de cabras ni de becerros— entró en el Lugar Santísimo una sola vez y para siempre, y aseguró nuestra redención eterna.

SABIDURÍA Y REFLEXIÓN

Sé agradecido a Dios por Jesucristo y por Su sangre derrabada para tu perdón, liberación, y salvación. "La ley exige que casi todo sea purificado con sangre, pues sin derramamiento de sangre no "hay perdón". El sacrificio de Jesucristo fue "una sola vez y para siempre a fin de acabar con el pecado mediante el sacrificio de si mismo" -- ¡Nos limpió por completo para que podamos servir al Dios viviente!

ORACIÓN DE ARRANQUE

Mi Abba y mi Rey, gracias por Jesucristo y gracias por el sacrificio de Sí mismo, y por Su sangre derramada en ofrecimiento a Ti para mi perdón, liberación, y salvación eterna. Gracias también por Tu Espíritu Santo, mi guía y mi protector. Espíritu de Dios, guíame a todos Tus santos caminos y santifícame.

MI REACCIÓN Y MI ORACIÓN

Julio 26

LA ESCRITURA DE HOY

Mateo 7:18

¹⁸ Un buen árbol no puede producir frutos malos y un árbol malo no puede producir frutos buenos.

SABIDURÍA Y REFLEXIÓN

Cuídate de los "falsos profetas" que vienen "disfrazados de ovejas". Los conocerás porque el fruto del Espíritu llega a ser evidente en su vida diaria.

ORACIÓN DE ARRANQUE

Mi Abba y mi Rey, capacítame para poder discernir la maldad de los "falsos profetas". Enséñame a reconocer el fruto bueno y el fruto malo para discernir a los que vienen disfrazados de ovejas. Ayúdame, Espíritu de Dios, a que mi fruto sea bueno y que sea evidente en mi vida diaria. Capacítame para manifestar amor, gozo, paz, paciencia, benignidad, bondad, fe, mansedumbre y templanza.

MI REACCIÓN Y MI ORACIÓN

Julio 27

LA ESCRITURA DE HOY

Juan 3:8

[8] El viento sopla hacia donde quiere. De la misma manera que oyes el viento pero no sabes de dónde viene ni adónde va, tampoco puedes explicar cómo las personas nacen del Espíritu.

SABIDURÍA Y REFLEXIÓN

Reconoce que todo es el producto de la soberanía de Dios. Dios "hace todas las cosas en todos". La oración generalizada es la prueba más grande de la manifestación de Sus milagros en nuestra vida.

ORACIÓN DE ARRANQUE

Mi Abba y mi Rey, dame conciencia para reconocer los diversos dones de otros y las diversas maneras que otros Te sirven. Despierta en mí un interés de orar por los hermanos(as) que dedican su vida para Ti en diferentes formas y maneras. Gracias Espíritu Santo por los dones que Tú me has otorgado según lo que Tú has determinado. Espíritu de Dios, muévete sobre nuestra comunidad y nuestra nación. Todo esto es el producto de tu soberanía. Padre Santo, contesta mis oraciones con la maravilla de tus milagros.

MI REACCIÓN Y MI ORACIÓN

Julio 28

LA ESCRITURA DE HOY

Proverbios 6:23

²³ Pues su mandato es una lámpara y su instrucción es una luz; su disciplina correctiva es el camino que lleva a la vida.

SABIDURÍA Y REFLEXIÓN

Levanta a Dios y recuerda sus enseñanzas, "Cuando camines, te servirán de guía; cuando duermas, "vigilaran tu sueño; cuando despiertes, hablaran contigo". Graba La Palabra de Dios en tu corazón, y úsala como la luz del camino de tu vida.

ORACIÓN DE ARRANQUE

Mi Abba y mi Rey, Tú eres mi única atracción. Te alabo y celebro Tus Escrituras y su significado. Ayúdame a grabar Tu Palabra en mi corazón y a usarla como mi lámpara y la luz que ilumina el camino de mi vida. Padre Santo, dame la disciplina necesaria para obedecer Tus enseñanzas y Tus mandamientos.

MI REACCIÓN Y MI ORACIÓN

Julio 29

LA ESCRITURA DE HOY

Nehemías 8:12

[12] Así que el pueblo se fue a comer y a beber en una gran fiesta, a compartir porciones de la comida y a celebrar con gran alegría porque habían oído y entendido las palabras de Dios.

SABIDURÍA Y REFLEXIÓN

Sé feliz de que entiendes y que estás aplicando la Palabra de Dios en todos los detalles de tu vida. Entender la Biblia te hace mejor padre y madre, mejor esposo y esposa, mejor hijo e hija, mejor ciudadano y mejor ser humano.

ORACIÓN DE ARRANQUE

Mi Abba y mi Rey, ayúdame a través de Tu Espíritu Santo a entender Tu Palabra con claridad para así gozar de gran alegría. Despéjame de los caprichos triviales y permite que me abra enteramente a Tus enseñanzas para aplicarlas a todos los detalles de mi vida, y ser una mejor persona.

MI REACCIÓN Y MI ORACIÓN

Julio 30

LA ESCRITURA DE HOY

Isaías 55:3

³ «Vengan a mí con los oídos bien abiertos. Escuchen, y encontrarán vida. Haré un pacto eterno con ustedes. Les daré el amor inagotable que le prometí a David.»

SABIDURÍA Y REFLEXIÓN

Comparte tus bendiciones con las personas a tu alrededor. Mantén notas de las bendiciones de Dios y de Sus milagros en tu vida. Haz un pacto eterno con Dios para que tus bendiciones fluyan por los canales adecuados.

ORACIÓN DE ARRANQUE

Mi Abba y mi Rey, gracias por la abundancia de Tu bendición. Dame madurez y sabiduría para poder absorber el significado de Tu bendición y compartirla con otros. Te pido que la semilla de Tu bendición hacia mi florezca en la vida de las personas a mi alrededor.

MI REACCIÓN Y MI ORACIÓN

Julio 31

LA ESCRITURA DE HOY

Mateo 5:45

⁴⁵ De esa manera, estarás actuando como verdadero hijo de tu Padre que está en el cielo. Pues él da la luz de su sol tanto a los malos como a los buenos y envía la lluvia sobre los justos y los injustos por igual.

SABIDURÍA Y REFLEXIÓN

Sé consistente en tus oraciones, pues nunca volverán a ti vacías. El trabajo de Dios es supernatural; Él hace que tus oraciones cumplan con Sus propósitos de una forma misteriosa.

ORACIÓN DE ARRANQUE

Mi Abba y mi Rey, Te alabo por el sol y la lluvia de Tu bendición. Padre mío, gracias por Tu santidad y por la seguridad que tengo en Tus promesas. Ayúdame a comprender y a celebrar, que Tus bendiciones caen sobre los buenos y los malos. Gracias también, por la seguridad de Tu respuesta a mis oraciones. Alabado seas, Padre Santo, ¡porque Tus caminos y Tus pensamientos son "más altos que los cielos sobre la tierra!"

MI REACCIÓN Y MI ORACIÓN

Agosto 1

LA ESCRITURA DE HOY

Juan 4:14

14 Pero todos los que beban del agua que yo doy no tendrán sed jamás. Esa agua se convierte en un manantial que brota con frescura dentro de ellos y les da vida eterna.

SABIDURÍA Y REFLEXIÓN

Bebe del agua que Dios te da para que no vuelvas a tener sed. Rinde culto al Padre en espíritu y verdad. Adora a Dios. Aprende del modelo de conducta el cual Dios te ha dado en Su Palabra, y por el cual Te juzgará.

ORACIÓN DE ARRANQUE

Mi Abba y mi Rey, gracias por Tus Palabras, las cuales son como el agua para el que tiene sed, y me iluminan hacia una buena conducta, hacia Ti, y hacia la vida eterna. Hoy Te alabo Padre Santo, y Te adoro en Espíritu y verdad. Ayúdame a ser fiel al llamado que me has dado, siempre usando Tus palabras para prepararme mejor; capacítame con energía y con disciplina.

MI REACCIÓN Y MI ORACIÓN

Agosto 2

LA ESCRITURA DE HOY

Salmos 119:97

Mem

⁹⁷ ¡Oh, cuánto amo tus enseñanzas! Pienso en ellas todo el día.

SABIDURÍA Y REFLEXIÓN

Llénate de sabiduría en la Palabra de Dios y nunca volverás a ser la misma persona. ¡Ella transforma la vida profundamente! Ten confianza que Dios también usa Su Palabra para sembrar nuevas y poderosas ideas en tu mente.

ORACIÓN DE ARRANQUE

Mi Abba y mi Rey, ¡Tu Palabra me ha transformado profundamente! La fuerza y el poder de Tu ley me llenan de sabiduría. Padre Santo, ayúdame a compartir Tus enseñanzas con los que necesitan Tu salvación. Dame convicción para meditar en ella. Jehovah, siembra mi mente con Tus nuevas y poderosas ideas.

MI REACCIÓN Y MI ORACIÓN

Agosto 3

LA ESCRITURA DE HOY

Isaías 55:12

[12]Ustedes vivirán con gozo y paz.
Los montes y las colinas se pondrán a cantar y los árboles
de los campos aplaudirán.

SABIDURÍA Y REFLEXIÓN

Ten confianza en Dios. Él siempre actúa para cumplir Sus propios
propósitos; sin importarle que muchos desaprueben. El objectivo de Su
proposito es que tu salgas con alegría y guiado en paz.

ORACIÓN DE ARRANQUE

Mi Abba y me Rey, Tú eres el gran ingeniero de todo. Frecuentemente
no entiendo Tu plan, pero estoy seguro que Tú actúas en forma de
cumplir Tus propósitos. Ayúdame a no quejarme cuando la verdad de
Tu palabra o Tus obras me agitan, me inquietan o destruyen mis
hábitos o ideas. Padre Santo, Tu siempre cumples Tus propios
propósitos, los cuales me traen alegría y paz.

MI REACCIÓN Y MI ORACIÓN

Agosto 4

LA ESCRITURA DE HOY

Job 1:8

[8] Entonces el SEÑOR preguntó a Satanás:

—¿Te has fijado en mi siervo Job? Es el mejor hombre en toda la tierra; es un hombre intachable y de absoluta integridad. Tiene temor de Dios y se mantiene apartado del mal.

SABIDURÍA Y REFLEXIÓN

Sé una persona recta e intachable. Honra a Dios y vive apartado del mal; ten confianza en Su cuidado. Los hechos y los misterios de la vida descansan en Dios.

ORACIÓN DE ARRANQUE

Mi Abba y mi Rey, es mi deseo que Tu me mires como una persona recta e intachable; yo quiero honrarte y vivir apartado del mal. Bendice la obra de mis manos. Ayúdame a entender que Tú lo haces todo por mi bien, y ayúdame también a no quejarme cuando la verdad de Tu Palabra inquieta o destruye mis hábitos o ideas.

MI REACCIÓN Y MI ORACIÓN

Agosto 5

LA ESCRITURA DE HOY

Salmos 46:1

*Para el director del coro: cántico de los descendientes de Coré;
entónese con voces de soprano.*

[1] Dios es nuestro refugio y nuestra fuerza,
siempre está dispuesto a ayudar en tiempos de dificultad.

SABIDURÍA Y REFLEXIÓN

Ten confianza en momentos de angustia que Dios es todopoderoso. Él es tu amparo y tu fortaleza. No temas "aunque se desmorone la tierra y las montañas se hundan en el fondo del mar."

ORACIÓN DE ARRANQUE

Mi Abba y mi Rey, yo no entiendo porque tengo que sufrir. Tampoco entiendo la angustia ni el sufrimiento en general. Pero confío en Tu cuidado y Tu tierno amor. Sé que eres todopoderoso y que eres mi amparo, mi fortaleza y mi ayuda segura en momentos de angustia. Ayúdame, Padre Celestial, a confiar en Tu sabiduría eterna. Y protégeme contra cualquier miedo, aunque se desmorone la tierra y las montañas se hundan en el fondo del mar.

MI REACCIÓN Y MI ORACIÓN

Agosto 6

LA ESCRITURA DE HOY

1 Pedro 4:15

¹⁵Sin embargo, si sufren, que no sea por matar, robar, causar problemas o entrometerse en asuntos ajenos.

SABIDURÍA Y REFLEXIÓN

Entrégale a Dios tu sufrimiento. Ponlo a Su cuidado providencial. Cuando todo esto se acabe, tu alegría será inmensa "cuando se revele a gloria de Cristo"; Su propósito, y Sus planes.

ORACIÓN DE ARRANQUE

Mi Abba y mi Rey, ayúdame a tener una vida cristiana victoriosa, lléname de confianza en Tus promesas y en Tu omnipotencia y omnipresencia, y lléname también de amor por Ti y por mis próximos. Dios, yo no entiendo el sufrimiento, pero si entiendo que Tú estas en control de todo. Entrego mi sufrimiento a Tu cuidado providencial y espero con gran anticipación cuando me reveles Tu propósito y Tus planes.

MI REACCIÓN Y MI ORACIÓN

Agosto 7

LA ESCRITURA DE HOY

1 Pedro 4:15

[15]Sin embargo, si sufren, que no sea por matar, robar, causar problemas o entrometerse en asuntos ajenos.

SABIDURÍA Y REFLEXIÓN

Entrégate a Dios y sigue practicando el bien si estás sufriendo por ser cristiano. También, cuídate contra la tendencia al mal genio y la maldad; pues son las fuentes del sufrimiento.

ORACIÓN DE ARRANQUE

Mi Abba y mi Rey, protégeme contra las fuentes del sufrimiento, la maldad y el mal genio. Crea a mí alrededor paredes de protección contra estos pecados que tanto Te ofenden. Báñame con la sangre derramada de Cristo para rechazar los ataques de Satanás y ayúdame a practicar el bien. Dios Eterno, cuando sufro por ser cristiano, ayúdame a entregarme completamente a Ti, y dame fuerza para seguir adelante, haciendo Tu voluntad, y practicando el bien.

MI REACCIÓN Y MI ORACIÓN

Agosto 8

LA ESCRITURA DE HOY

Mateo 18:4

⁴ Así que el que se vuelva tan humilde como este pequeño, es el más importante en el reino del cielo.

SABIDURÍA Y REFLEXIÓN

Sé humilde, lo cual es el resultado de una buena relación con Dios. No hagas nada por egoísmo o por vanidad.

ORACIÓN DE ARRANQUE

Mi Abba y mi Rey, quita todo orgullo de mi corazón y mi mente. Lléname con la santidad de Tu humildad para no hacer nada por egoísmo o por vanidad. Dios, yo deseo tener una vida concentrada en Jesucristo, para que mi humildad sea el resultado de mi buena relación con Él. Padre Santo, ayúdame a velar y orar no solo por mis intereses, sino también por los intereses de otros. Dame también conciencia para servir a los demás por causa de la gloria de Cristo y no con el propósito de que ellos me aprecien.

MI REACCIÓN Y MI ORACIÓN

LA ESCRITURA DE HOY

1 Tesalonicenses 4:11

[11]Pónganse como objetivo vivir una vida tranquila, ocúpense de sus propios asuntos y trabajen con sus manos, tal como los instruimos anteriormente.

SABIDURÍA Y REFLEXIÓN

Ocúpate de tus propias responsabilidades y vive en paz con todos. No caigas en las trampas de Satanás o del mundo. Resiste la tentación de meterte en lo ajeno, en los asuntos de los demás.

ORACIÓN DE ARRANQUE

Mi Abba y mi Rey, gracias por Tu gran amor y por Tu cuidado para que yo no caiga en las trampas de Satanás y del mundo. Capacítame, Padre, para resistir la tentación de meterme en los asuntos de los demás. Ayúdame a vivir en paz con todos, y a ocuparme de mis propias responsabilidades. Padre Santo, no permitas que me hunda en el fango o que me arrastre la corriente que solamente trae el odio y el mal genio.

MI REACCIÓN Y MI ORACIÓN

Agosto 10

LA ESCRITURA DE HOY

Lucas 6:22

²² «Que bendiciones les esperan cuando la gente los odie y los excluya, cuando se burlen de ustedes y los maldigan, como si fuera gente maligna, porque siguen al Hijo del Hombre.»

SABIDURÍA Y REFLEXIÓN

Sé orgulloso de ser cristiano y de sufrir por causa de Jesucristo, aunque el mundo lo vea como algo vergonzoso. Tu sufrimiento te ennoblece, exalta, purifica y glorifica a Dios.

ORACIÓN DE ARRANQUE

Mi Abba y mi Rey, necesito tu fuerza y tu estimulo para poder aceptar que me odien, insulten o discriminen por causa de Jesucristo. Capacítame para sufrir como creyente de Ti sin quejarme. Gracias por la oportunidad de poder purificarte y glorificarte a través de mi sufrimiento por causa del Hijo.

MI REACCIÓN Y MI ORACIÓN

Agosto 11

LA ESCRITURA DE HOY

1 Pedro 4:16

[16]En cambio, no es nada vergonzoso sufrir por ser cristianos. ¡Alaben a Dios por el privilegio de que los llamen por el nombre de Cristo!

SABIDURÍA Y REFLEXIÓN

Anticipa que el sarcasmo del mundo convertirá la Palabra de Dios en mofas y burlas; se convertirá en contra ti. Te acusarán sarcásticamente y sin ninguna misericordia. Pero, ¡alaba a Dios porque llevas el nombre de Cristo!

ORACIÓN DE ARRANQUE

Mi Abba y mi Rey, ayúdame a tener suficiente madurez para aguantar las burlas, acusaciones sarcásticas y otros sufrimientos que provienen del mundo por pertenecer a la secta despreciable de los "cristianos". Enséñame a no responder como tampoco lo hizo Cristo. Alabado seas Tú mi Dios por tu Hijo Jesucristo. Glorifícate, Padre Celestial, a través de mis sufrimientos.

MI REACCIÓN Y MI ORACIÓN

Agosto 12

LA ESCRITURA DE HOY

Hebreos 12:11

[11]Ninguna disciplina resulta agradable a la hora de recibirla. Al contrario, ¡es dolorosa! Pero después, produce la apacible cosecha de una vida recta para los que han sido entrenados por ella.

SABIDURÍA Y REFLEXIÓN

Acepta la disciplina de Dios como trata un padre con su hijo; ella producirá una cosecha de justicia y paz en ti. No te desanimes cuando te reprenda. Él lo hace para tu bien; para que participes en Su santidad.

ORACIÓN DE ARRANQUE

Mi Abba y mi Rey, como un niño, yo me desanimo y a veces no entiendo cuando Tú me disciplinas. Yo entiendo que Tú lo haces para mi bien, a fin de que participe en Tu santidad. Igual que un niño con su padre; ayúdame a tomar tu disciplina con mucha seriedad, y querer obedecerte porque sé que Tú me amas y lo haces para producir una cosecha de justicia y paz como parte de mi entrenamiento. Ayúdame a tener paciencia en el sufrimiento, mi Dios, sabiendo que es "para nuestro bien, a fin de que participemos de Su santidad" (Hebreos 12:10), de acuerdo con Tu voluntad y Tus deseos.

MI REACCIÓN Y MI ORACIÓN

Agosto 13

LA ESCRITURA DE HOY

1 Pedro 4:19

[19]De modo que, si sufren de la manera que agrada a Dios, sigan haciendo lo correcto y confíenle su vida a Dios, quien los creó, pues él nunca les fallará.

SABIDURÍA Y REFLEXIÓN

Entrégate completamente a Dios en medio de tus sufrimientos y problemas, y sigue practicando el bien sin pecar. Para que al final, después de todo, puedas decir, "Yo le traje gloria a Dios," y puedas cantar, "Desnudo salí del vientre de mi madre, y desnudo he de partir. El Señor ha dado; el Señor ha quitado. ¡Bendito sea el nombre del Señor!"

ORACIÓN DE ARRANQUE

Mi Abba y mi Rey, yo deseo separarme de la bulla de este mundo con palabras triviales, sentimentales, poéticas e inexplicables acerca del sufrimiento para así poder oír la voz quieta y apacible de Tu Espíritu. Padre mío, lléname de Tu paz y de Tu santidad para poder entregarme enteramente a Tu voluntad y seguir practicando el bien, sin pecar. Mi Dios, a Tus manos yo encomiendo mis sufrimientos presentes y mis problemas futuros. Sé orgulloso de mi cuando esto termine.

MI REACCIÓN Y MI ORACIÓN

Agosto 14

LA ESCRITURA DE HOY

Job 3:20

²⁰»Oh, ¿por qué dar luz a los desdichados,
y vida a los amargados?»

SABIDURÍA Y REFLEXIÓN

Sé alerto a Su plan para ti. Deja que Dios haga contigo lo que Él desee,
pues Su plan es perfecto. No caigas en la trampa del diablo de hacer la
voluntad de Dios, siempre y cuando esté de acuerdo con tu voluntad y
tu derecho a ti mismo.

ORACIÓN DE ARRANQUE

Mi Abba y mi Rey, enséñame a seguirte, aun cuando no entienda las
circunstancias que Tu has permitido en mi vida. Padre Santo, yo quiero
hacerlo todo de acuerdo con Tu voluntad; enséñame a poner hacia un
lado mi propia voluntad y mis deseos. Ayúdame a tener madurez para
permitir que hagas conmigo lo que Tu desees, pues Tú sabes lo que es
mejor para mí y Tu plan es perfecto.

MI REACCIÓN Y MI ORACIÓN

Agosto 15

Mateo 13:3

³ Contó muchas historias en forma de parábola como la siguiente: «¡Escuchen! Un agricultor salió a sembrar».

SABIDURÍA Y REFLEXIÓN

Pide a Dios que te revele su Palabra mediante la interpretación del Espíritu Santo, para poder entenderla correctamente.

ORACIÓN DE ARRANQUE

Mi Abba y mi Rey, gracias por tus palabras santas. Gracias por tu Biblia que está llena de sabiduría y de instrucciones para guiarme en todo. Revélame, mi Dios, la verdad de tu Palabra. Abre mis ojos para ver y mis oídos para escuchar la interpretación de tu Espíritu Santo, y así poder entender Tu verdad.

MI REACCIÓN Y MI ORACIÓN

Agosto 16

LA ESCRITURA DE HOY

Mateo 13:9

⁹ Todo el que tenga oídos para oír, que escuche y entienda.

SABIDURÍA Y REFLEXIÓN

Sé cómo el "buen terreno," para que rindas treinta, sesenta y hasta cien veces más de lo que Dios siembra en ti. Mantente alerta y en oración siempre para que no permitas que los afanes de esta vida y la codicia de otras cosas endurezcan tu corazón.

ORACIÓN DE ARRANQUE

Mi Abba y mi Rey, ayúdame a no ser un cristiano superficial. Dame el deseo de ser un "buen terreno" para Ti, listo para recibir la semilla de Tu Palabra y entenderla y producir hasta cien veces más de lo que Tú has sembrado en mí. Padre Santo, ayúdame a no permitir que los afanes de esta vida y la codicia endurezcan mi corazón. Espíritu de Dios, despiértame para oír lo que Tú dices.

MI REACCIÓN Y MI ORACIÓN

Agosto 17

LA ESCRITURA DE HOY

Mateo 13:12

12 A los que escuchan mis enseñanzas se les dará más comprensión, y tendrán conocimiento en abundancia; pero a los que no escuchan se les quitará aun lo poco que entiendan.

SABIDURÍA Y REFLEXIÓN

Abre los oídos para que puedas escuchar, y tu corazón para que puedas entender la Palabra de Dios. Si no oyes lo que Jesús dice, le estás dando vía libre a Satanás para que entre en tu vida. Prepárate para el momento de la aflicción. Dios permite la aflicción para que nuestro corazón se mantenga abierto a Su verdad.

ORACIÓN DE ARRANQUE

Mi Abba y mi Rey, cuando tengo aflicción, tribulación, adversidad y enfermedad, mis oídos siempre están abiertos para recibir Tu nueva Palabra. Ayúdame, mi Dios, a mantener el terreno de mi corazón abierto y listo para tu verdad. Líbrame de los lazos de los ataques sutiles de Satanás el cual se aprovecha cuando vienen problemas en mi vida. Padre de la gloria, estoy escuchando Tu voz. Ayúdame a entender Tu Palabra.

MI REACCIÓN Y MI ORACIÓN

Agosto 18

LA ESCRITURA DE HOY

Mateo 13:15

[15]Pues el corazón de este pueblo está endurecido, y sus oídos no pueden oír, y han cerrado los ojos, así que sus ojos no pueden ver, y sus oídos no pueden oír, y sus corazones no pueden entender, y no pueden volver a mí para que yo los sane.

SABIDURÍA Y REFLEXIÓN

Abre tu corazón para que Dios te revele y recibas su Palabra. Ora para que puedas entender. No dejes que los vientos de las opiniones de este mundo y las emociones del momento tapen tus oídos y cierren tus ojos.

ORACIÓN DE ARRANQUE

Mi Abba y mi Rey, ¡qué difícil es ser un buen cristiano en este mundo tan anticristo! Ayúdame, mi Dios, a no ser tan espiritualmente superficial tanto que me lleven por los vientos las opiniones de este mundo y las emociones del momento. Quebranta mi voluntad obstinada, y haz Tu voluntad en todo lo que hago y digo. Padre Santo, enséñame como evitar que los vientos de las opiniones de este mundo o las emociones del momento me cierren los ojos o me tapen los oídos al entendimiento de Tu Palabra.

MI REACCIÓN Y MI ORACIÓN

Agosto 19

LA ESCRITURA DE HOY

Mateo 13:23

23 Las semillas que cayeron en la buena tierra representan a los que de verdad oyen y entienden la palabra de Dios, ¡y producen una cosecha treinta, sesenta y hasta cien veces más numerosa de lo que se había sembrado!

SABIDURÍA Y REFLEXIÓN

Sé como el "buen terreno"; listo para entender y producir de acuerdo a la Palabra de Dios. Ten mucho cuidado de no convertirte en unos de los ¾ inútiles que oían la Palabra pero ni la entendían ni la recibían.

ORACIÓN DE ARRANQUE

Mi Abba y mi Rey, ayúdame a ser como el "buen terreno," listo para oír y entender tu Palabra y producir mucha cosecha. Padre Santo, protege mi corazón y mi mente para no ser como los inútiles que oyen Tu palabra pero no la entienden. Te alabo, mi Dios, ¡por la transformación interna de mi corazón y de mi vida! Ayúdame a ser útil para Ti.

MI REACCIÓN Y MI ORACIÓN

Agosto 20

LA ESCRITURA DE HOY

Marcos 4:5

⁵ Otras cayeron en tierra poco profunda con roca debajo de ella. Las semillas germinaron con rapidez porque la tierra era poco profunda;

SABIDURÍA Y REFLEXIÓN

Quita los ojos de tus dificultades y tus problemas, y ponlas en la base de la cruz de Jesús. No dejes que la Palabra en tu corazón se ahogue.

ORACIÓN DE ARRANQUE

Mi Abba y mi Rey, enséñame a no pensar tanto sobre mis problemas y dificultades porque ahogan Tu Palabra en mi corazón y vida espiritual. Perdóname cuando dejo de confiar en Ti, y comienzo a preocuparme demasiado. Padre Santo, ayúdame a no permitir que las espinas crezcan en mi corazón y ahoguen Tu Palabra en mí. Protégeme de los ataques de Satanás contra mis emociones. ¡Dame, Padre Celestial, descanso en Ti!

MI REACCIÓN Y MI ORACIÓN

Agosto 21

LA ESCRITURA DE HOY

Marcos 4:8

[8] «Pero otras semillas cayeron en tierra fértil, y germinaron y crecieron, ¡y produjeron una cosecha que fue treinta, sesenta y hasta cien veces más numerosa de lo que se había sembrado!».

SABIDURÍA Y REFLEXIÓN

Escucha la Palabra de Dios y permite que produzca fruto. Toma nota de que la medida de tu crecimiento en gracia es a los ojos de Dios, no a los ojos de los hombres. Dios es el que pone Su Palabra en nosotros y produce su fruto.

ORACIÓN DE ARRANQUE

Mi Abba y mi Rey, prepara mi corazón para recibir Tu Palabra, entenderla, y para que produzca en mí Tu fruto. Mi Dios, haz en mi lo que Tú quieras y prepárame para que mi crecimiento sea aceptado por Ti sin que me importe lo que piense la gente. Padre de la Gloria, produce en mí una cosecha que brote ciento por uno de la semilla que Tú siembres en mi corazón.

MI REACCIÓN Y MI ORACIÓN

Agosto 22

LA ESCRITURA DE HOY

Marcos 4:19

[19] Pero muy pronto el mensaje queda desplazado por las preocupaciones de esta vida, el atractivo de la riqueza y el deseo por otras cosas, así que no se produce ningún fruto.

SABIDURÍA Y REFLEXIÓN

Aprende e identifica todas las cosas que obstaculizan tu vida espiritual: el engaño de las cosas que atesoras por encima de Jesucristo y los afanes de este mundo, porque ahogarán la Palabra, y no llegarás a dar fruto.

ORACIÓN DE ARRANQUE

Mi Abba y mi Rey, ayúdame a identificar todas las cosas que obstaculizan mi vida espiritual, ya sean buenas o malas en este mundo. Mi Dios, dame sabiduría para no engañarme a mí mismo con las cosas que atesoro por encima de Tu hijo Jesús. Enséñame, querido Jesús, a tener disciplina para andar contigo y así poder vencer con efectividad los reverses de la vida, y dar fruto como en buen terreno, hasta el ciento por uno.

MI REACCIÓN Y MI ORACIÓN

Agosto 23

LA ESCRITURA DE HOY

Mateo 14:27

²⁷ Pero Jesús les habló de inmediato:

—No tengan miedo —dijo. —¡Tengan ánimo! ¡Yo estoy aquí!

SABIDURÍA Y REFLEXIÓN

Aprende a darle a Dios tus asuntos diarios, tus preocupaciones, y tus pensamientos. Concéntrate solamente en Él.

ORACIÓN DE ARRANQUE

Mi Abba y mi Rey, quítame el temor a los vientos fuerte de esta vida y enséñame a dártelos siempre a Ti. Padre mío, ayúdame a darte mis asuntos diarios, mis preocupaciones, mis condiciones, y mis pensamientos porque Tú sabes qué hacer con ellos. Ayúdame a concentrarme solamente en Ti y en Tú presencia consoladora. Gracias por vivir en mí, obrando por medio de mí con el poder del Espíritu Santo que mora en mi corazón, y por oír las predicaciones y oraciones que yo hago.

MI REACCIÓN Y MI ORACIÓN

Agosto 24

LA ESCRITURA DE HOY

Lucas 8:15

[15] Y las semillas que cayeron en la buena tierra representan a las personas sinceras, de buen corazón, que oyen la palabra de Dios, se aferran a ella y con paciencia producen una cosecha enorme.

SABIDURÍA Y REFLEXIÓN

Oye la Palabra de Dios y entrégate completamente a Él. Entrégale a Su espíritu: los engaños de las riquezas y los afanes de este mundo, los ataques del diablo y sus demonios, y tu inclinación a ti mismo, para que puedas verdaderamente escuchar y ser "buena tierra."

ORACIÓN DE ARRANQUE

Mi Abba y mi Rey, guíame en la senda de rectitud para que puedas llevar a cabo Tus planes, Tu voluntad y Tu deseo por medio de mí. Padre Celestial, ayúdame a combatir a través de Tu Espíritu Santo: el diablo que me quiere quitar la Palabra de mi corazón, y las preocupaciones de este mundo. Dame fuerza para que las riquezas y los placeres de esta vida no ahoguen Tu Palabra en mí. Yahweh, lléname de madurez para entender el significado de Tu Palabra.

MI REACCIÓN Y MI ORACIÓN

Agosto 25

LA ESCRITURA DE HOY

Salmos 127:2

² Es inútil que te esfuerces tanto, desde la mañana temprano hasta tarde en la noche, y te preocupes por conseguir alimento; porque Dios da descanso a sus amados.

SABIDURÍA Y REFLEXIÓN

Entrégale a Dios todas tus actividades, tus planes, y hasta tus sueños. Permite que sea Dios el que edifique la casa y cuide la ciudad.

ORACIÓN DE ARRANQUE

Mi Abba y mi Rey, Te dedico la construcción de mi vida a Ti, y Te entrego todas mis actividades, mis planes y hasta mis sueños. Mi Dios, mientras descanso, mantén Tu mano protectora sobre mí, llévame a una comunión contigo más profunda. Padre Santo, en Tu forma sagrada y misteriosa, concede mis oraciones y mis sueños y al mismo tiempo, prepara mi futuro.

MI REACCIÓN Y MI ORACIÓN

Agosto 26

LA ESCRITURA DE HOY

Romanos 8:26

[26] Además, el Espíritu Santo nos ayuda en nuestra debilidad. Por ejemplo, nosotros no sabemos qué quiere Dios que le pidamos en oración, pero el Espíritu Santo ora por nosotros con gemidos que no pueden expresarse con palabras.

SABIDURÍA Y REFLEXIÓN

No te sientas solo ¡No estas solo! Dios promete que Su Espíritu acude a ayudarte, e interceder por ti, aunque no sepas que pedir. Él hace oraciones profundas y desarrolla tus capacidades espirituales.

ORACIÓN DE ARRANQUE

Mi Abba y mi Rey, gracias por darme Tu Espíritu, que no solo hace oraciones profundas en intercesión por mí, sino que desarrolla en lo profundo mi capacidad espiritual. Padre Celestial, cuando llegan las crisis de la vida y tengo que enfrentar una nueva serie de circunstancias, Tú prometes que tu Espíritu me ayudará. ¡Gloria a Dios!

MI REACCIÓN Y MI ORACIÓN

Agosto 27

LA ESCRITURA DE HOY

Salmos 16:9

⁹ Con razón mi corazón está contento y yo me alegro;
mi cuerpo descansa seguro.

SABIDURÍA Y REFLEXIÓN

Prepárate con la armadura de Dios para que puedas hacer frente a las
trampas y los ataques del diablo. Tu lucha es contra fuerzas
espirituales. Ponte toda la armadura de Dios, "para cuando llegue el día
malo puedan resistir hasta el fin con firmeza". (Efesios 6:13)

ORACIÓN DE ARRANQUE

Mi Abba y mi Rey, estoy lleno de confianza en Ti porque estás al tanto
de todo lo que ocurre en mi vida, y porque tienes un plan específico
para mí. Me has dado armadura para hacerle frente al diablo, y Tu
Espíritu para tener un aliado e intercesor siempre conmigo. Mi Dios,
guía mi preparación espiritual y dame madurez para saber cómo estar
en Tu presencia durante el día, y mientras duermo cada noche.
Enséñame como orar en el Espíritu en todo momento, y capacítame
para mantenerme alerta en oración por todos los santos.

MI REACCIÓN Y MI ORACIÓN

Agosto 28

LA ESCRITURA DE HOY

Salmos 4:8

[8] En paz me acostaré y dormiré, porque sólo tú, oh SEÑOR, me mantendrás a salvo.

SABIDURÍA Y REFLEXIÓN

Sé totalmente seguro del cuidado providencial de Dios- ¡Acuéstate y duerme confiado!

ORACIÓN DE ARRANQUE

Mi Abba y mi Rey, mi Dios todo soberano, creador de todo lo que está en el cielo y aquí en la tierra. Padre todopoderoso, mi refugio y mi ayuda segura en momentos de angustia. Mi fiel creador que me saca del fango y no permite que nunca me hunda. Gracias por hacerme vivir con confianza, por guiarme y por ministrarme a través de Tu Espíritu, el cual intercede por mí y así permite que pueda dormir en paz; totalmente confiado de Tu cuidado providencial.

MI REACCIÓN Y MI ORACIÓN

LA ESCRITURA DE HOY

Salmos 34:7

[7] Pues el ángel del Señor es un guardián; rodea y defiende a todos los que le temen.

SABIDURÍA Y REFLEXIÓN

Sé confiado que Dios provee ángeles para tu protección; para que no caigas en las trampas del mundo y de Satanás. Dios te restaurará y mandará a Sus ángeles a que guarden tus caminos.

ORACIÓN DE ARRANQUE

Mi Abba y mi Rey, gracias por Tus ángeles. Padre Celestial, manda a Tus ángeles a guardar mis caminos, y que me levanten en sus manos para que yo no me resbale sobre las piedras de este mundo ni las trampas del diablo. Gracias, Dios, por el ministerio de tus ángeles y el cuidado protector que me brindan.

MI REACCIÓN Y MI ORACIÓN

LA ESCRITURA DE HOY

Proverbios 3:24

²⁴ Puedes irte a dormir sin miedo; te acostarás y dormirás profundamente.

SABIDURÍA Y REFLEXIÓN

Duerme tranquilo, porque el poder maravilloso del Espíritu de Dios dentro, y la guarnición de los ángeles de Dios afuera, le causan terror al diablo. Por lo tanto, no temas y conserva el buen juicio y actúa con discreción.

ORACIÓN DE ARRANQUE

Mi Abba y mi Rey, gracias por Tu promesa de estar siempre a mi lado y de liberarme de caer en las trampas del mundo o del diablo. Gracias también por quererme tanto que ministras a todas mis necesidades por igual, sean seculares o espirituales. Padre mío, que Tu paz invada mi corazón y mi alma. Me acuesto, y no tengo temor ninguno, y duermo tranquilo porque sé que Tú y tus ángeles me guardan y protegen con un poder completo y maravilloso. Ayúdame, Padre Santo, a tener confianza completa en tu protección, y así poder actuar con juicio y discreción.

MI REACCIÓN Y MI ORACIÓN

Agosto 31

LA ESCRITURA DE HOY

Proverbios 4:23

²³ Sobre todas las cosas cuida tu corazón, porque éste determina el rumbo de tu vida.

SABIDURÍA Y REFLEXIÓN

Controla tus impulsos. Se cuidadoso en tus decisiones. La impulsividad no glorifica a Dios. Ofrece tu corazón a Dios para que tengas refugio contra las malas decisiones.

ORACIÓN DE ARRANQUE

Mi Abba y mi Rey, cautiva mis pensamientos y mis motivos. Toma mi corazón con Tus manos para que tenga refugio contra la impulsividad y las malas decisiones. Te pido, mi Dios, que bendigas y apruebes todas mis actividades para que sean aceptables ante Tus ojos.

MI REACCIÓN Y MI ORACIÓN

Septiembre 1

LA ESCRITURA DE HOY

Juan 4:13

13 Jesús contestó—"Cualquiera que beba de esta agua pronto volverá a tener sed".

SABIDURÍA Y REFLEXIÓN

Ora por las personas que parecen felices sin Jesús. Puede que sean personas bastante rectas y genuinas y hasta de buena moral. Pero Jesucristo dice que están perdidas. Ora para que lleguen al punto de querer que Jesús sea su Señor y Salvador.

ORACIÓN DE ARRANQUE

Mi Abba y mi Rey, que triste es, pero que verdad es el saber que tantas personas rectas y de buena moral están perdidas. O Dios, ayúdame a orar con paciencia por los que dicen estar felices y satisfechos sin conocer a Jesús como su Señor y su Salvador. Ahora mismo oro por los siguientes miembros de mi familia y por mis amigos que no Te conocen:

MI REACCIÓN Y MI ORACIÓN

Septiembre 2

LA ESCRITURA DE HOY

Romanos 3:24

²⁴ Sin embargo, con una bondad que no merecemos, Dios nos declara justos por medio de Cristo Jesús, quien nos liberó del castigo de nuestros pecados.

SABIDURÍA Y REFLEXIÓN

Continúa diciéndole la verdad a todas las personas, inclusivo a las que te hacen sentir tonto o que hacen preguntas atacantes.

ORACIÓN DE ARRANQUE

Mi Abba y mi Rey, gracias por Tu gracia que me justificó gratuitamente mediante la redención que Jesucristo efectuó. Alabado seas Tú, mi Dios, por Tu justificación a través de la fe y no por obras. Dame fuerza y convicción para poder seguirle diciéndoles la verdad a las personas que me hacen sentir tonto con sus preguntas que me dejan paralizado.

MI REACCIÓN Y MI ORACIÓN

Septiembre 3

LA ESCRITURA DE HOY

Juan 12:32

³² "Y, cuando yo sea levantado de la tierra, atraeré a todos hacia mí".

SABIDURÍA Y REFLEXIÓN

Presenta toda la verdad de todos los aspectos del evangelio de Jesucristo revelado en la Palabra de Dios. "Este mensaje es el poder de Dios" (1 Cor 1:18). Predica Cristo crucificado. "Este mensaje es motivo de tropiezo para los judíos, y es locura para los gentiles" (1 Cor 1:23).

ORACIÓN DE ARRANQUE

Mi Abba y mi Rey, tan a menudo yo no tengo la sabiduría, ni la capacidad, ni la energía para presentar todos los aspectos de Tu verdad en toda Tu gloria. Espíritu de Dios, empieza a obrar ahí donde yo no puedo llegar. Ayúdame, Oh Dios, a predicar todos los aspectos del evangelio de Jesucristo revelados en tu Palabra, empezando por mi familia y por mis amigos.

MI REACCIÓN Y MI ORACIÓN

Septiembre 4

LA ESCRITURA DE HOY

Hechos 1:8

8 Pero recibirán poder cuando el Espíritu Santo descienda sobre ustedes; y serán mis testigos, y le hablarán a la gente acerca de mí en todas partes: en Jerusalén, por toda Judea, en Samaria y hasta los lugares más lejanos de la tierra.

SABIDURÍA Y REFLEXIÓN

Presenta a Jesucristo en todo Su poder a tus amigos y a tu familia con toda valentía y con la ayuda del Espíritu de Dios, del cual puedes depender.

ORACIÓN DE ARRANQUE

Mi Abba y mi Rey, ayúdame a presentar al Señor Jesucristo a mis amigos y a mi familia. Espíritu de Dios, guía mis pensamientos y palabras cuando converso con ellos, para presentar a Cristo en una forma simple y sabia; nunca encarcelando a Jesús en pequeños paquetes doctrinales. Padre, dame la capacidad de presentar a Cristo según la situación de cada uno, y así poder convencerlos de la necesidad que tienen de El. Dame también valentía y consistencia para seguir adelante con toda confianza.

MI REACCIÓN Y MI ORACIÓN

Septiembre 5

LA ESCRITURA DE HOY

Mateo 11:25

Jesús da gracias al Padre

²⁵ En esa ocasión, Jesús hizo la siguiente oración: «Oh Padre, Señor del cielo y de la tierra, gracias por esconder estas cosas de los que se creen sabios e inteligentes, y por revelárselas a los que son como niños».

SABIDURÍA Y REFLEXIÓN

Demuestra en tus actitudes y acciones que tienes un corazón limpio y que estas lleno de amor a Dios y a tu prójimo. Cuida tus pensamientos. Manifiesta con tu vida que entiendes con sabiduría los mandamientos y las instrucciones de Dios.

ORACIÓN DE ARRANQUE

Mi Abba y mi Rey, bendice mis pensamientos para que estén limpios y llenos de amor a Ti y a mi prójimo. Padre Celestial, limpia mi corazón de cualquier impureza que sea ofensiva a Ti. Espíritu de Dios, enséñame el camino recto y digno para caminar en la sabiduría de Tus mandamientos y Tus instrucciones. Mi Dios, ayúdame para que mis actitudes y mis acciones diarias sean de agrado para Ti.

MI REACCIÓN Y MI ORACIÓN

Septiembre 6

LA ESCRITURA DE HOY

Proverbios 28:14

[14] Benditos los que tienen temor de hacer lo malo;
pero los tercos van directo a graves problemas.

SABIDURÍA Y REFLEXIÓN

Confía en Dios; escucha y obedece Su voz con alegría para que actúes con sabiduría y puedas prosperar. No seas ambicioso ni endurezcas tu corazón.

ORACIÓN DE ARRANQUE

Mi Abba y mi Rey, protégeme contra la ambición, el deseo de tener más, y hasta lo que tienen otros. Ayúdame, Dios mío, a confiarte completamente y a obedecerte y escucharte con alegría, para así actuar con sabiduría. Padre Santo, mantenme alerta a Tu voz para escuchar con alegría y obedecer Tus instrucciones.

MI REACCIÓN Y MI ORACIÓN

Septiembre 7

LA ESCRITURA DE HOY

Marcos 15:15

[15] Entonces Pilato, para calmar a la multitud, dejó a Barrabás en libertad. Y mandó azotar a Jesús con un látigo que tenía puntas de plomo, y después lo entregó a los soldados romanos para que lo crucificaran.

SABIDURÍA Y REFLEXIÓN

Mantente alerta contra los que tuercen la verdad para acomodar sus deseos, sus propios intereses y sus propios propósitos.

ORACIÓN DE ARRANQUE

Mi Abba y mi Rey, protégeme contra las mentiras y la maldad de los que tuercen la verdad y engañan por sus propios intereses, y para acomodar a sus propios propósitos. Ayúdame a reconocer las sectas falsas. Padre Santo, abre mis ojos para reconocer a los falsos maestros.

MI REACCIÓN Y MI ORACIÓN

Septiembre 8

LA ESCRITURA DE HOY

Proverbios 20:22

²² No digas: «Me voy a vengar de este mal»;
espera a que el SEÑOR se ocupe del asunto.

SABIDURÍA Y REFLEXIÓN

Cuando alguien te hace daño, tráele el caso a Dios. Depende de las riquezas que provienen de Dios para que puedas perdonar. ¡Deja eso tranquilo y confía en Él!

ORACIÓN DE ARRANQUE

Mi Abba y mi Rey, protégeme contra el deseo de vengarme cuando alguien me hace daño, y de siempre tratar de encontrar lo malo en otros. Ayúdame a traerte los casos y las personas a Ti, para que Tú seas el Juez Supremo de ellos. Padre, ayúdame a depender de Ti y tener confianza en Tu justicia. ¡Alabado seas Tu, Padre de la gloria, por Tu bondad y Tus obras maravillosas!

MI REACCIÓN Y MI ORACIÓN

Septiembre 9

LA ESCRITURA DE HOY

Juan 12:26

²⁶ Todo el que quiera ser mi discípulo debe seguirme, porque mis siervos tienen que estar donde yo estoy. El Padre honrará a todo el que me sirva.

SABIDURÍA Y REFLEXIÓN

Estés totalmente consciente a donde Cristo te quiera mandar. Estés totalmente dispuesto a servirle donde quiera y como quiera que Él deseé. Tu objetivo debe ser presentar a Jesucristo a quien Dios te traiga.

ORACIÓN DE ARRANQUE

Mi Abba, y mi Rey, dame la necesaria madurez y disciplina para seguirte donde Tu estés. Dios, yo quiero servirte en lo que Tu me llames. Padre Eterno, yo deseo ser un reflejo exacto de Tu carácter. Espíritu Santo, dependo de Tu ayuda para poder presentar a Jesucristo como mi grano de trigo a quienes Tú me traigas.

MI REACCIÓN Y MI ORACIÓN

Septiembre 10

LA ESCRITURA DE HOY

Salmos 107:31

[31] Que alaben al SEÑOR por su gran amor
y por las obras maravillosas que ha hecho a favor de ellos.

SABIDURÍA Y REFLEXIÓN

¡Alaba a Dios por Sus obras maravillosas en tu favor!

ORACIÓN DE ARRANQUE

Mi Abba y mi Rey, ¡Te alabo por Tu gran amor, por Tus maravillas en mi favor! ¡Me has salvado de terribles situaciones y me has bendecido con abundantes cosechas! ¡Gracias, O Dios, por Tu bondad y Tus obras maravillosas en mi favor!

MI REACCIÓN Y MI ORACIÓN

Septiembre 11

LA ESCRITURA DE HOY

1 Corintios 1:9

[9] Dios lo hará porque él es fiel para hacer lo que dice y los ha invitado a que tengan comunión con su Hijo, Jesucristo nuestro Señor.

SABIDURÍA Y REFLEXIÓN

Entrégate totalmente a una comunión con Jesucristo, lo cual es un privilegio que es posible por el puro poder de la expiación de Jesús por tu pecado.

ORACIÓN DE ARRANQUE

Mi Abba y mi Rey, gracias por mandar a Tu Hijo Jesucristo, y por Su expiación de mi pecado para así poder tener una relación directa conmigo. Gracias por el privilegio de poder caminar y hablar contigo y vivir para Ti. Padre de la gloria, concédeme tu gracia y tu paz.

MI REACCIÓN Y MI ORACIÓN

LA ESCRITURA DE HOY

1 Corintios 9:22

²² Cuando estoy con los que son débiles, me hago débil con ellos, porque deseo llevar a los débiles a Cristo. Sí, con todos trato de encontrar algo que tengamos en común, y hago todo lo posible para salvar a algunos.

SABIDURÍA Y REFLEXIÓN

Ten pasión por las almas perdidas. Haz todo para todos, a fin de salvar a algunos por todos los medios posibles.

ORACIÓN DE ARRANQUE

Mi Abba y mi Rey, aumenta mi visión y pasión por las almas perdidas. Ayúdame a tener sabiduría y flexibilidad para volverme casi como ellos a fin de ganarlos a ellos. Como el apóstol, quiero hacerme todo para todos, a fin de salvar a algunos por todos los medios posibles. Ya entiendo que el propósito de esta carrera es que tantos que sean posibles puedan salvarse. ¡Ayúdame a amar como Tu amas!

MI REACCIÓN Y MI ORACIÓN

Septiembre 13

LA ESCRITURA DE HOY

1 Corintios 9:24

²⁴ ¿No se dan cuenta de que en una carrera todos corren, pero sólo una persona se lleva el premio? ¡Así que corran para ganar!

SABIDURÍA Y REFLEXIÓN

Corre la carrera con propósito y con una pasión fogosa y ardiente. Ten cuidado que después de haber predicado a otros, tú mismo no quedes descalificado. Discípulo convertido para Jesucristo que es la característica principal del creyente maduro.

ORACIÓN DE ARRANQUE

Mi Abba y mi Rey, gracias por las obras que preparas para mí. Enséñame, Dios, a correr la carrera con propósito, de tal modo que esté luchando hacia una meta. Prepara mi corazón y mi cerebro y mi cuerpo para poder hacer un trabajo con pasión fogosa, así sea el discipular un convertido para Ti u otro tipo de trabajo. Pero siempre para traerte gloria, O Dios.

MI REACCIÓN Y MI ORACIÓN

Septiembre 14

LA ESCRITURA DE HOY

Proverbios 11:30

[30] La semilla de las buenas acciones se transforma en un árbol
de vida; una persona sabia gana amigos

SABIDURÍA Y REFLEXIÓN

Ten una devoción consumidora y apasionada hacia Jesucristo, con una
vida de disciplina, oración, paciencia, ternura y perseverancia que son la
prueba de tu entrega.

ORACIÓN DE ARRANQUE

Mi Abba y mi Rey, mi deseo es tener una devoción consumidora hacia
Jesucristo, tan poderosa que me hace firme durante vientos de
huracanes. Ayúdame a tener una vida de disciplina esperando Tú
voluntad, pescando a los que están perdidos, orando y predicando.
Dame, O Dios, una pasión por las almas que ardan dentro de mí. Dame
paciencia, ternura y perseverancia.

MI REACCIÓN Y MI ORACIÓN

Septiembre 15

LA ESCRITURA DE HOY

Lucas 10:2

² Y les dio las siguientes instrucciones: «La cosecha es grande, pero los obreros son pocos. Así que oren al Señor que está a cargo de la cosecha; pídanle que envíe más obreros a sus campos.»

SABIDURÍA Y REFLEXIÓN

Ve al calvario y permite que Dios trate contigo hasta que entiendas el significado del tremendo costo que pagó Jesucristo. Deja que Dios trate contigo para que seas un verdadero pescador de almas.

ORACIÓN DE ARRANQUE

Mi Abba y mi Rey, ayúdame a desprenderme de los instructores, las reglas y las regulaciones de cómo ganar hombres para Cristo. ¡Trata conmigo hasta que yo entienda el verdadero significado del tremendo costo que pagó Jesucristo, y concédeme la sabiduría necesaria para ser un verdadero pescador de almas! Oro para que más hermanos se dediquen al negocio de esta pesca.

MI REACCIÓN Y MI ORACIÓN

Septiembre 16

LA ESCRITURA DE HOY

Juan 21:15

[15] Después del desayuno, Jesús le preguntó a Simón Pedro:
—Simón, hijo de Juan, ¿me amas más que estos?
—Sí, Señor —contestó Pedro—, tú sabes que te quiero.
—Entonces, alimenta a mis corderos —le dijo Jesús.

SABIDURÍA Y REFLEXIÓN

Ten pasión por los corderos de Dios. Pídele a Dios que te capacite en la labor de ganar hombres para Cristo.

ORACIÓN DE ARRANQUE

Mi Abba y mi Rey, dame la misma pasión de un pastor hacia sus ovejas infatigable, con gozo y deleito para ganar hombres para Cristo. Padre Santo, capacítame con un conocimiento tranquilo y juicioso de cómo desempeñar esta labor.

MI REACCIÓN Y MI ORACIÓN

Septiembre 17

LA ESCRITURA DE HOY

Juan 21:22

²² Jesús contestó:

—Si quiero que él siga vivo hasta que yo regrese, ¿qué tiene que ver contigo? En cuanto a ti, sígueme.

SABIDURÍA Y REFLEXIÓN

Concéntrate en tu relación amorosa y consumidora con Jesucristo, porque el trabajo cristiano nunca se acaba. Ese trabajo será atacado por Satanás, y creará tensión, ansiedad y cansancio. Ten cuidado también en la forma que se manifiesta tu pasión y tu ego.

ORACIÓN DE ARRANQUE

Mi Abba y mi Rey, a veces mi trabajo cristiano me causa mucha tensión por mi pasión consumidora, por cansancio, por nuestro ego, o por los ataques de Satanás. Lléname, Dios, con Tu pasión por las almas de los hombres, y dame energía y sabiduría para que mi trabajo sea como una oferta sagrada. Padre Celestial, ayúdame a que mi amor consumidor sea solamente por Ti para que seas Tú el que trabaja en mí.

MI REACCIÓN Y MI ORACIÓN

Septiembre 18

LA ESCRITURA DE HOY

Mateo 28:19

[19] Por lo tanto, vayan y hagan discípulos de todas las naciones, bautizándolos en el nombre del Padre y del Hijo y del Espíritu Santo.

SABIDURÍA Y REFLEXIÓN

Se un ejemplo vivo de lo que crees en cada momento de tu vida, consciente e inconsciente.

ORACIÓN DE ARRANQUE

Mi Abba y mi Rey, ayúdame a ser un ejemplo vivo de lo que creo, en cada momento de mi vida, consciente e inconsciente. Padre Dios, determino ser un verdadero ejemplo de Tu gracia transformadora, soportando Tu escrutinio y obedeciendo todo lo que me has mandado. Entonces me mandarás a discipular a todas las naciones.

MI REACCIÓN Y MI ORACIÓN

Septiembre 19

LA ESCRITURA DE HOY

Colosenses 2:20-21

[20] Ustedes han muerto con Cristo, y él los ha rescatado de los poderes espirituales de este mundo. Entonces, ¿por qué siguen cumpliendo las reglas del mundo, tales como: [21] «¡No toques esto! ¡No pruebes eso! ¡No te acerques a aquello!»?

SABIDURÍA Y REFLEXIÓN

Mantente firmemente conectado a Dios para que no seas engañado por fuerzas sobrenaturales más fuertes que tu. No te engañes al pensar que puedes tener comunión con Dios mediante la negación propia. Oswald Chambers dijo, "¡La gente puede tener una devoción maravillosa de su manera equivocada de trata con Dios!"

ORACIÓN DE ARRANQUE

Mi Abba y mi Rey, mantenme firmemente conectado a Ti para que no sea tragado por la apariencia de sabiduría de este mundo con su afectada piedad, falsa humildad y engaños de que es posible tener comunión contigo mediante la negación propia. Te alabo, Jesús, por rescatarme de una vida de confusión donde la gente puede tener una devoción maravillosa en su manera equivocada de tratar contigo.

MI REACCIÓN Y MI ORACIÓN

Septiembre 20

LA ESCRITURA DE HOY

Salmos 116:3

³ La muerte me envolvió en sus cuerdas; los terrores de la tumba se apoderaron de mí. Lo único que veía era dificultad y dolor.

SABIDURÍA Y REFLEXIÓN

Estés seguro que Dios comprende exactamente tus aflicciones, ansiedades, pruebas y tentaciones. Él tiene un plan perfecto.

ORACIÓN DE ARRANQUE

Mi Abba y mi Rey, ayúdame en medio de mis pruebas y mis debilidades. Gracias por ser fiel, y por no permitir que sea tentado mas allá de lo que puedo aguantar (1 Cor. 13). Entiendo que Tú permites que yo atraviese por estas pruebas para hacerme bendición para los demás. Dame disciplina, fuerza, claridad de mente y Tu gracia durante cualquier tentación. Socorredme porque Tú comprendes exactamente mi aflicción (Heb. 2:18, Heb. 4:15-16)

MI REACCIÓN Y MI ORACIÓN

LA ESCRITURA DE HOY

Mateo 5:20

20 »Les advierto: a menos que su justicia supere a la de los maestros de la ley religiosa y a la de los fariseos, nunca entrarán en el reino del cielo».

SABIDURÍA Y REFLEXIÓN

Se el más justo de todos. Depende del Espíritu Santo, pues tu entendimiento de los hechos del mundo depende de esto.

ORACIÓN DE ARRANQUE

Mi Abba y mi Rey, gracias que Tu Palabra es una "lámpara a mis pies y lumbrera a mi camino". Padre Santo, gracias que los hechos de este mundo vienen de Tu voluntad, y mi entendimiento viene de acuerdo con el grado de recepción, reconocimiento y dependencia que yo tenga en el Espíritu Santo. Mi Dios, acepto los hechos en el mundo natural y el mundo bíblico, los cuales existen por Tu voluntad. Ábreme la mente para entender Tu Palabra, la cual es el complemento divino a las leyes de la naturaleza, la conciencia y la humanidad. Padre Santo, ¡ayúdame a depender de Tu Espíritu para tratar de ser "la persona más justa del mundo"!

MI REACCIÓN Y MI ORACIÓN

Septiembre 22

LA ESCRITURA DE HOY

Deuteronomio 11:18

[18] »Por lo tanto, comprométete de todo corazón a cumplir estas palabras que te doy. Átalas a tus manos y llévalas sobre la frente para recordarlas».

SABIDURÍA Y REFLEXIÓN

Enseña y repite la Palabra de Dios en toda ocasión. Usa tu cerebro para examinarla (1 Tesalonicenses 5:21), y tus experiencias personales para explicar los asuntos espirituales.

ORACIÓN DE ARRANQUE

Mi Abba y mi Rey, alabado seas Tú por Tú Palabra. La cual es una bendición para mí cuando la leo y la estudio. Ayúdame a entender Tu Palabra con mi mente y con mi corazón. Dame energía para también enseñar y predicar Tu Palabra en todos los momentos de mi vida.

MI REACCIÓN Y MI ORACIÓN

Septiembre 23

LA ESCRITURA DE HOY

2 Pedro 1:20-21

[20] Sobre todo, tienen que entender que ninguna profecía de la Escritura jamás surgió de la comprensión personal de los profetas [21] ni por iniciativa humana. Al contrario, fue el Espíritu Santo quien impulsó a los profetas y ellos hablaron de parte de Dios.

SABIDURÍA Y REFLEXIÓN

Lee la Biblia, que es la Palabra de Dios a través de los profetas impulsados por el Espíritu Santo, y es la llave para la explicación de todos los misterios.

ORACIÓN DE ARRANQUE

Mi Abba y mi Rey, ¡Tu Palabra ayuda a que la vida tenga sentido y me da esperanza para el futuro, y la esperanza de la vida eterna en el cielo! Gracias que Tus Escrituras ponen en mi mano la explicación de todos los misterios.

MI REACCIÓN Y MI ORACIÓN

Septiembre 24

LA ESCRITURA DE HOY

Mateo 7:15

El árbol y su fruto

[15] »Ten cuidado de los falsos profetas que vienen disfrazados de ovejas inofensivas pero en realidad son lobos feroces».

SABIDURÍA Y REFLEXIÓN

Se una pesona sincera en tus tratos. Juzga con balance. Deja que te conozcan por tus frutos, y ten cuidado con los que vienen disfrazados de ovejas.

ORACIÓN DE ARRANQUE

Mi Abba y mi Rey, ayúdame a siempre ser una persona honesta y sincera en mis tratos; siempre buscando la paz y juzgando con balance y justicia. Dame discernimiento para cuidarme contra los falsos profetas y los hipócritas que vienen vestidos de ovejas, pero por dentro son lobos feroces. Ayúdame, Dios, a través de tu Santo Espíritu, a reconocer a "tu gente" basado en sus buenos frutos.

MI REACCIÓN Y MI ORACIÓN

Septiembre 25

LA ESCRITURA DE HOY

2 Samuel 12:7

[7] Entonces Natán le dijo a David:

—¡Tú eres ese hombre! El SEÑOR, Dios de Israel, dice: "Yo te ungí rey de Israel y te libré del poder de Saúl".

SABIDURÍA Y REFLEXIÓN

Habla la verdad; no seas un hipócrita. Di lo que tengas que decir y defiende tu integridad. Pero prepárate con la armadura de Dios (Efesios 6:13) para los momentos de confrontación.

ORACIÓN DE ARRANQUE

Mi Abba y mi Rey, ayúdame a estar preparado para los momentos de confrontación; especialmente cuando sean con personas importantes. Dame, Padre Santo, la capacidad de darme cuenta y discernir cualquier hipocresía o mentira que esté dentro de mí. Examíname, mi Dios, y revela cualquier debilidad espiritual que me haría vulnerable en la hora de prueba.

MI REACCIÓN Y MI ORACIÓN

Septiembre 26

LA ESCRITURA DE HOY

2 Samuel 12:13

David confiesa su culpa

[13] Entonces David confesó a Natán:—He pecado contra el SEÑOR. Natán respondió:—Sí, pero el SEÑOR te ha perdonado, y no morirás por este pecado.

SABIDURÍA Y REFLEXIÓN

Permite que Dios te capacite y te prepare antes de empezar un ministerio de ayuda o algún trabajo cristiano como ayudar a los débiles, los enfermos, o a los hipócritas.

ORACIÓN DE ARRANQUE

Mi Abba y mi Rey, hazme consciente de mi propia naturaleza y debilidad para poder tratar con amor las debilidades de los demás. Padre de la Gloria, acepto Tus disciplinas y experiencias para capacitarme antes de enviarme. Hazme consciente a mi propia vulnerabilidad al pecado. Mi Dios, abre una ventanita para poder discernir como Tú quieres que yo ayude a otras personas.

MI REACCIÓN Y MI ORACIÓN

Septiembre 27

LA ESCRITURA DE HOY

Gálatas 2:5

⁵ Pero no nos doblegamos ante ellos ni por un solo instante. Queríamos preservar la verdad del mensaje del evangelio para ustedes.

SABIDURÍA Y REFLEXIÓN

Habla la verdad claramente y en amor. Nunca te sometas a los hermanos falsos y a los acusadores falsos. Preserva "la integridad del evangelio".

ORACIÓN DE ARRANQUE

Mi Abba y mi Rey, dame fuerza y madurez para que el verdadero evangelio pueda continuar dentro de mí, y para que yo pueda presentarlo con toda su integridad. Mi Dios, dame gracia para mostrarle amor a los falsos hermanos y a los acusadores falsos, a los cuales tengo que ir al grano sin vacilación directo a sus corazones. Padre Celestial, fortaléceme en Tu Palabra y hazme más fuerte en tu carácter y en la vida practica.

MI REACCIÓN Y MI ORACIÓN

Septiembre 28

LA ESCRITURA DE HOY

Lucas 19:5

[5] Cuando Jesús pasó, miró a Zaqueo y lo llamó por su nombre: «¡Zaqueo! —le dijo—, ¡baja enseguida! Debo hospedarme hoy en tu casa».

SABIDURÍA Y REFLEXIÓN

Ten impacto en tu trabajo como obrero de Dios. Llegarás a esta meta si ves a las personas como Cristo las ve (todos los hombres están perdidos). Entonces amarás a todos, y tendrás pasión por trabajar para sanar las almas.

ORACIÓN DE ARRANQUE

Mi Abba y mi Rey, ayuda a mis amigos y a mi familia que no te conocen. Abre sus ojos, para que Te vean como eres, y abre sus oídos, para que entiendan Tu Palabra, y así respondan a Tu mensaje. Mi Dios, ayúdame a ver a las personas como Tú las ves, y a amarlas como Tú las amas. Padre Celestial, dame pasión para trabajar para sanar las almas, y así ser completamente identificado como Tu obrero.

MI REACCIÓN Y MI ORACIÓN

LA ESCRITURA DE HOY

Lucas 19:7

[7] Pero la gente estaba disgustada, y murmuraba: «Fue a hospedarse en la casa de un pecador de mala fama». [9] Jesús respondió:—La salvación ha venido hoy a esta casa, porque este hombre ha demostrado ser un verdadero hijo de Abraham.

SABIDURÍA Y REFLEXIÓN

Ora que Dios obre por medio de ti cuando encuentres a personas sin honra, frías e indiferentes a Dios.

ORACIÓN DE ARRANQUE

Mi Abba y mi Rey, cuando encuentre a personas sin honra, frías e indiferentes a Ti y a Tu Espíritu, obra por medio de mi para que entiendan Tu Palabra y respondan a tu mensaje. Fumiga su corazón para limpiar su obstinación espiritual.

MI REACCIÓN Y MI ORACIÓN

Septiembre 30

LA ESCRITURA DE HOY

Lucas 19:10

¹⁰ Pues el Hijo del Hombre vino a buscar y a salvar a los que están perdidos.

SABIDURÍA Y REFLEXIÓN

Depende del Espíritu Santo, por que Él presenta a Jesucristo a toda clase de persona. Desarrolla tu relación con Jesús para que puedas conocerlo personalmente antes de ayudar a otro a conocerlo.

ORACIÓN DE ARRANQUE

Mi Abba y mi Rey, ayúdame a depender del Espíritu Santo para poder introducir a Tu Hijo a algún vagabundo perdido, y así conozca como Jesucristo vino a buscar y a salvar a todos los que estaban perdidos. Padre Santo, enséñame a examinar mi corazón para tener convicción de lo que Tú has hecho en mi alma por medio de Jesucristo. Mi Dios, ayúdame a desarrollar nuestra relación para poder conocerte mejor.

MI REACCIÓN Y MI ORACIÓN

Octubre 1

LA ESCRITURA DE HOY

Lucas 19:9

⁹ Jesús respondió:—La salvación ha venido hoy a esta casa, porque este hombre ha demostrado ser un verdadero hijo de Abraham.

SABIDURÍA Y REFLEXIÓN

Ofrece a tus amigos y a tu familia el ambiente de Jesucristo. Él se ocupará de lo demás.

ORACIÓN DE ARRANQUE

Mi Abba y mi Rey, tengo confianza ilimitada que Tú puedes salvar a cualquiera; no hay límite a Tu amor ni a tu misericordia por nosotros los humanos. Dios mío, ayúdame a ofrecer a mis amigos y a mi familia el ambiente de Jesucristo, pues Tú presencia cambiará su vida.

MI REACCIÓN Y MI ORACIÓN

Octubre 2

LA ESCRITURA DE HOY

Salmos 108:13

¹³ Con la ayuda de Dios, haremos cosas poderosas, pues él pisoteará a nuestros enemigos.

SABIDURÍA Y REFLEXIÓN

Alaba a Dios en toda ocasión y canta salmos a todo el mundo; porque Él es todopoderoso. Su amor rebasa los cielos, y Su verdad llega hasta el firmamento, "Con Dios obtendremos la victoria".

ORACIÓN DE ARRANQUE

Mi Abba y mi Rey, haz lo que quieras en mi vida. Padre Santo, entrego mi vida para que Tu Espíritu haga lo que quiera, y así yo pueda sentir Tu presencia donde quiera que vaya. Te alabo, Padre de La Gloria, y reconozco que no puedo trabajar con efectividad para Ti sin tu gracia y fortaleza para cada día. Ayúdame, mi Dios, a saber cómo depender del Espíritu Santo. ¡Mi Dios, me regocijo en Tu poder!

MI REACCIÓN Y MI ORACIÓN

Octubre 3

LA ESCRITURA DE HOY

Romanos 10:9

⁹ Si confiesas con tu boca que Jesús es el Señor y crees en tu corazón que Dios lo levantó de los muertos, serás salvo.

SABIDURÍA Y REFLEXIÓN

Comparte tu conocimiento de la verdad con tu familia y con tus amigos. Entonces depende del Espíritu Santo que se encargue de explicar a Jesús al alma que lo busca.

ORACIÓN DE ARRANQUE

Mi Abba y mi Rey, alabado seas, Señor Jesús, por ser "el camino, la verdad, y la vida". Gracias, mi Dios, que Cristo es el fin de la ley, para "que todo el que cree reciba la justicia" (Rom. 10:4). Qué alegría saber que el que confiesa con su boca que Jesús es Dios, y cree en su corazón que Jehová lo levantó de entre los muertos, será salvo. Alabado seas, Padre Celestial, por Tu plan perfecto. Ayúdame a introducir a mi familia y a mis amigos a esta gran verdad.

MI REACCIÓN Y MI ORACIÓN

Octubre 4

LA ESCRITURA DE HOY

Salmos 50:14-15

[14] «Haz que sea la gratitud tu sacrificio a Dios y cumple los votos que le has hecho al Altísimo. [15] Luego llámame cuando tengas problemas, y yo te rescataré, y tú me darás la gloria».

SABIDURÍA Y REFLEXIÓN

Cumple tus promesas a Dios de hablar sobre Jesucristo a tu familia y a tus amistades. Mantén tu boca sana de engaños y calumnias. Honra a Dios.

ORACIÓN DE ARRANQUE

Mi Abba y mi Rey, ¡gracias por ser omnipotente! Dios Todopoderoso, creo en el poder supremo de Jesús para quitar los pecados del mundo. Ayúdame, Dios, a cumplir con mis promesas a Ti. ¡Fluye a través de mi! Hazme madurar, O Dios, para mantener mi boca sana de hablar contra mi prójimo; o a no mantener mis conversaciones confidenciales. Libérame, Señor, de mi orgullo y de mi haraganería. Dame confianza y convicción de lo que debo de estar haciendo ahora mismo para que Seas honrado y glorificado sobre todo.

MI REACCIÓN Y MI ORACIÓN

Octubre 5

Lucas 15:4

[4] «Si un hombre tiene cien ovejas y una de ellas se pierde, ¿qué hará? ¿No dejará las otras noventa y nueve en el desierto y saldrá a buscar la perdida hasta que la encuentre?»

SABIDURÍA Y REFLEXIÓN

Se completamente seguro que Dios nunca te abandonará. Entrégale tu cuerpo y tu mente a Su voluntad en cada aspecto de tu vida.

ORACIÓN DE ARRANQUE

Mi Abba y mi Rey, gracias por amarme tanto que nunca dejarás que yo me pierda o que me separe de Ti; siempre me buscaras asta que me encuentres, entonces me volverás a la casa contigo. Por eso, Dios de Amor, te entrego mis manos, mi mente, y todo mi ser. Dios, hazme una bendición para Tu gloria. Padre Santo, hoy te entrego mi cuerpo para que puedas trabajar a través de este para encontrar a los que están perdidos.

MI REACCIÓN Y MI ORACIÓN

Octubre 6

LA ESCRITURA DE HOY

Lucas 15:10

[10] «De la misma manera, hay alegría en presencia de los ángeles de Dios cuando un solo pecador se arrepiente».

SABIDURÍA Y REFLEXIÓN

Pon a Jesucristo en primer lugar en tu mente; no las necesidades de las personas en tu ministerio. Primero llena tu alma de Cristo, y después, con paciencia, busca almas para Él. Y entonces celebra cuando un pecador se arrepiente.

ORACIÓN DE ARRANQUE

Mi Abba y mi Rey, enséñame como no ser un obstáculo entre un pecador y Tu poder; solamente deseo poner las necesidades de las personas delante de Jesucristo. Espíritu de Dios, llena mi alma del amor de Cristo por los perdidos. Llena mi alma con Cristo para entonces, con paciencia, buscar almas para Ti, y llenarme de alegría cuando un pecador se arrepiente.

MI REACCIÓN Y MI ORACIÓN

Octubre 7

LA ESCRITURA DE HOY

Hechos 8:35

³⁵ Entonces, comenzando con esa misma porción de la Escritura, Felipe le habló de la Buena Noticia acerca de Jesús.

SABIDURÍA Y REFLEXIÓN

Aprende la Escritura y así podrás anunciarles las buenas nuevas de Jesús, con mucha paciencia a los que tienes que evangelizar.

ORACIÓN DE ARRANQUE

Mi Abba y mi Rey, ayúdame a tener disciplina y consistencia para leer y memorizar Tu Escritura y así poder anunciar las buenas nuevas de Jesús. Dame sabiduría para ser paciente con aquellas personas que nunca parecen de avanzar espiritualmente. Mi Dios, edúcame a través de ellos.

MI REACCIÓN Y MI ORACIÓN

Octubre 8

LA ESCRITURA DE HOY

Hebreos 4:12

[12] Pues la palabra de Dios es viva y poderosa. Es más cortante que cualquier espada de dos filos; penetra entre el alma y el espíritu, entre la articulación y la médula del hueso. Deja al descubierto nuestros pensamientos y deseos más íntimos.

SABIDURÍA Y REFLEXIÓN

Usa la Palabra de Dios para enseñar, justificar y evangelizar; esto nunca te perjudicará, ni tampoco lastimará a otros.

ORACIÓN DE ARRANQUE

Mi Abba y mi Rey, necesito sabiduría de Ti para usar y entender Tu Palabra mientras trabajo para ganar almas para Cristo. Enséñame a usar Tu Escritura como David usó la espada de Goliat, y así dar un gran golpe al reino del diablo y un gran beneficio a las almas de los hombres. Necesito sabiduría de Ti, O Dios, para poder ganar almas para Cristo.

MI REACCIÓN Y MI ORACIÓN

Octubre 9

LA ESCRITURA DE HOY

Mateo 10:16

[16] »Miren, los envío como ovejas en medio de lobos. Por lo tanto, sean astutos como serpientes e inofensivos como palomas».

SABIDURÍA Y REFLEXIÓN

Aprende la Escritura en tal forma que nadie te pueda engañar, y úsala como una guía para dar consejos y tratar con las almas humanas en la vida diaria. Y depende totalmente del Espíritu Santo.

ORACIÓN DE ARRANQUE

Mi Abba y mi Rey, ayúdame a conocer Tu Palabra de tal forma que nadie me pueda engañar, y aplicarla a mi vida diaria para poder dar consejos y tratar con las almas humanas a diario. Padre Celestial, necesito Tu fortaleza y guía todos los días para poder andar como una oveja en medio de lobos; sin miedo ninguno—astuto como una serpiente y sencillo como una paloma; siempre dependiendo completamente de Ti.

MI REACCIÓN Y MI ORACIÓN

LA ESCRITURA DE HOY

Deuteronomio 1:21

[21] "¡Miren! El Señor ha puesto esta tierra delante de ustedes. Vayan y tomen posesión de ella como les dijo el Señor en su promesa, el Dios de sus antepasados. ¡No tengan miedo ni se desanimen!"

SABIDURÍA Y REFLEXIÓN

Depende del Espíritu Santo para que sea tu guía y te enseñe que decir; no dependas de tu memoria. Ten confianza y valentía para hacer lo que Dios te manda a hacer.

ORACIÓN DE ARRANQUE

Mi Abba y mi Rey, ayúdame a tener confianza y valentía para tomar posesión de lo que Tú me llamas a hacer, y a hacerlo sin miedo. Padre Santo, enséñame a depender del Espíritu Santo y no de mi conocimiento o memoria para hablar con los que no te conocen, y para hacer Tu trabajo. Dios, yo sé que Tu Espíritu traerá a mi memoria lo que yo debo decir.

MI REACCIÓN Y MI ORACIÓN

Octubre 11

LA ESCRITURA DE HOY

Deuteronomio 1:17

[17] "Sean imparciales en sus juicios. Atiendan los casos tanto de los pobres como de los ricos. No se acobarden ante el enojo de nadie, porque la decisión que ustedes tomen será la decisión de Dios. Tráiganme a mí los casos que les resulten demasiado difíciles, y yo me ocuparé de ellos".

SABIDURÍA Y REFLEXIÓN

Has la obra que Dios te a dado sin que nadie te intimide, y con discernimiento y la ayuda de Su Espíritu.

ORACIÓN DE ARRANQUE

Mi Abba y mi Rey, ayúdame a discernir entre lo bueno y lo malo. Lléname con Tu Espíritu para poder considerar de igual manera la causa de los débiles y la de los poderosos. ¡Ayúdame y prepárame, Espíritu de Dios! Ayúdame a hacer la obra que me has llamado a hacer sin dejarme intimidar por nadie. Padre Celestial, gracias por darme todo lo que necesito para poder hacer un buen trabajo para Ti.

MI REACCIÓN Y MI ORACIÓN

Octubre 12

LA ESCRITURA DE HOY

Romanos 12:16

[16] Vivan en armonía unos con otros. No sean tan orgullosos como para no disfrutar de la compañía de la gente común. ¡Y no piensen que lo saben todo!

SABIDURÍA Y REFLEXIÓN

No seas arrogante. Se solidario con las personas sencillas y humildes, porque ahí es donde puedes tener una gran cosecha para el Señor.

ORACIÓN DE ARRANQUE

Mi Abba y mi Rey, ayúdame a ser solidario con las personas sencillas, a vivir atento a ellos y a entender sus problemas, y así, el Espíritu Santo aplicará Tu Palabra trabajando por medio de mí, y así, ellos Te puedan conocer. Ayúdame también, Padre Santo, a vivir en armonía con mi familia, y con todos los que conozco para ser una persona de paz.

MI REACCIÓN Y MI ORACIÓN

Octubre 13

LA ESCRITURA DE HOY

1 Corintios 9:22

[22] Cuando estoy con los que son débiles, me hago débil con ellos, porque deseo llevar a los débiles a Cristo. Sí, con todos trato de encontrar algo que tengamos en común, y hago todo lo posible para salvar a algunos.

SABIDURÍA Y REFLEXIÓN

Obra en la manera más práctica posible para que todos conozcan a Cristo. Depende del Espíritu Santo, y usa la Biblia como tu espada y tu guía.

ORACIÓN DE ARRANQUE

Mi Abba y mi Rey, dame la habilidad de saber como hablarles a las personas que no te conocen. Enséñame, Dios Todopoderoso, qué estrategia debo de usar a fin de ganar a todos, y como depender continuamente del Espíritu Santo cuando se trata de un alma. Enséñame también, Padre Celestial, como debo de usar Tu Palabra como la espada para dispensar Tu enseñanza. Como Pablo, quiero alcanzar a personas de todas las maneras posibles. Y estoy dispuesto, O Dios, a recibir enseñanza de cualquier manera que Tú estimes.

MI REACCIÓN Y MI ORACIÓN

Octubre 14

2 Timoteo 3:6-7

[6] Pues son de los que se las ingenian para meterse en las casas de otros y ganarse la confianza de mujeres vulnerables que cargan con la culpa del pecado y están dominadas por todo tipo de deseos. [7] (Dichas mujeres siempre van detrás de nuevas enseñanzas pero jamás logran entender la verdad).

SABIDURÍA Y REFLEXIÓN

Ten disciplina y consistencia en tu estudio, y en tu enseñanza de La Palabra de Dios, la cual es indispensable para hablar con todos; no te atrevas a ignorarla.

ORACIÓN DE ARRANQUE

Mi Abba y mi Rey, ayúdame a saber trabajar con todo tipo de persona. Así sea débil y cargado de pecados, o inteligente y fuerte. Enséñame los versículos en Tu Biblia que debo de usar. Guíame, Dios, en camino de Tu amor mientras estudio Tu Palabra. Dame disciplina y consistencia para estudiar y enseñar las Escrituras; aunque a veces me confunden lo que leo en ellas.

MI REACCIÓN Y MI ORACIÓN

Octubre 15

LA ESCRITURA DE HOY

1 Samuel 10:9

Las señales de Samuel se cumplen

[9] Mientras Saúl se daba vuelta para irse, Dios le dio un nuevo corazón, y todas las señales de Samuel se cumplieron en ese día.

SABIDURÍA Y REFLEXIÓN

Mantén tu corazón recto para llevar a cabo el propósito de Dios. Obedece a Dios en todo. El Espíritu de Dios vendrá sobre ti con poder para que puedas hacer todo lo que está en tu alcance.

ORACIÓN DE ARRANQUE

Mi Abba y mi Rey, no permitas que yo me convierta en un insensato o un irrazonable. Ayúdame a siempre mantener mi corazón recto y obediente en todo. Padre Santo, Te suplico que mandes a Tu Espíritu a que venga sobre mí con poder, para que yo pueda llevar a cabo Tus propósitos.

MI REACCIÓN Y MI ORACIÓN

Octubre 16

LA ESCRITURA DE HOY

1 Samuel 15:19

[19] ¿Por qué no obedeciste al Señor? ¿Por qué te apuraste a tomar del botín y a hacer lo que es malo a los ojos del Señor?

SABIDURÍA Y REFLEXIÓN

Obedece a Dios en todo lo que Él te diga. Nunca rechaces ni una pequeña porción de Su Palabra, y cumple la misión que Él te encomiende.

ORACIÓN DE ARRANQUE

Mi Abba y mi Rey, dame sabiduría para prestar atención a todo lo que dice Tu Palabra; todos los detalles y las pequeñas porciones. Guíame con disciplina para obedecerte y cumplir la misión que me encomiendas, no importa que el mundo lo vea como irrazonable o sin ningún sentido común. Aplasta a mi rebeldía y mi arrogancia. Mi Dios, ayúdame también a acordarme que ¡Tú no toleras el pecado!

MI REACCIÓN Y MI ORACIÓN

Octubre 17

LA ESCRITURA DE HOY

1 Samuel 15:25

²⁵ Pero ahora, por favor, perdona mi pecado y regresa conmigo para que pueda adorar al Señor.

SABIDURÍA Y REFLEXIÓN

Se completamente obediente y sensato, siempre haciendo el bien y haciendo Su voluntad, lo mismo sea en publico que en secreto. No finjas hacer el bien.

ORACIÓN DE ARRANQUE

Mi Abba y mi Rey, confirma en mí una obediencia plena y ayúdame a ser sensato, siempre haciendo el bien y haciendo Tu voluntad en público y en secreto. Protégeme contra el insulto hacia Ti de fingir hacer el bien. Ayúdame, Mi Dios, a discernir a las personas que fingen obedecerte y que son insensatas. Enséñame como orar por ellos, y a pedirles que se aparten de sus caminos necios.

MI REACCIÓN Y MI ORACIÓN

Octubre 18

LA ESCRITURA DE HOY

1 Samuel 26:11

[11] ¡El SEÑOR me libre de que mate al que él ha ungido! Pero toma su lanza y la jarra de agua que están junto a su cabeza y ¡luego vámonos de aquí!

SABIDURÍA Y REFLEXIÓN

Confiésalo todo a Dios y ofrécele tus acciones y tus pensamientos para que Él te guíe en todo.

ORACIÓN DE ARRANQUE

Mi Abba y mi Rey, me ofrezco enteramente en Tu altar para que hagas conmigo lo que Tú quieras. Ruego que Tu Espíritu me enseñe lo que debo de hacer. Dios, hoy lo confieso todo delante de Ti. Padre Santo, guíame en todo. Ayúdame también, Padre Celestial, a compartir Tu Palabra con todos y en todas ocasiones.

MI REACCIÓN Y MI ORACIÓN

Octubre 19

LA ESCRITURA DE HOY

1 Samuel 26:21

²¹ Entonces Saúl confesó:

—He pecado. Hijo mío, vuelve a casa, y ya no trataré de hacerte daño, porque hoy has valorado mi vida. He sido un tonto, y he estado muy, pero muy equivocado.

SABIDURÍA Y REFLEXIÓN

Actúa con madurez y con juicio, siempre tratando de estar en el centro de la voluntad de Dios. Ten cuidado de no actuar como un necio; principalmente cuando pienses que no te han tratado bien o sin justicia.

ORACIÓN DE ARRANQUE

Mi Abba y mi Rey, ayúdame a ser paciente, y a tener sabiduría y disciplina en la forma que reacciono cuando pienso que no me han tratado bien, o cuando no me han tratado de una forma injusta. Padre Mío, ayúdame a entender las consecuencias cuando actúo precipitadamente. Mi Dios, enséñame ha estar siempre en el centro de Tu voluntad.

MI REACCIÓN Y MI ORACIÓN

Octubre 20

LA ESCRITURA DE HOY

Hebreos 5:12

[12] Hace tanto que son creyentes que ya deberían estar enseñando a otros. En cambio, necesitan que alguien vuelva a enseñarles las cosas básicas de la palabra de Dios. Son como niños pequeños que necesitan leche y no pueden comer alimento sólido.

SABIDURÍA Y REFLEXIÓN

Se persistente en tu conocimiento de la Palabra de Dios; así incrementarás tu madurez, y podrás ejercer tu facultad de percepción espiritual. No seas como un niño de pecho en el sentido espiritual.

ORACIÓN DE ARRANQUE

Mi Abba y mi Rey, ayúdame a tener madurez en mi relación contigo y en mi conocimiento de Tu Palabra para poder recibir Tu alimento sólido y tener la capacidad de ejercer mi facultad de percepción espiritual. Padre Celestial, enséñame también a discernir cuando las almas queridas que Te están huyendo necesitan que les enseñe las verdades más elementales de Tu Palabra por la mañana, al medio día, y por la noche; hasta que Tu Espíritu les dé la madurez necesaria para que puedan empezar a comer de Tu alimento sólido.

MI REACCIÓN Y MI ORACIÓN

Octubre 21

LA ESCRITURA DE HOY

Lucas 24:15

[15] Mientras conversaban y hablaban, de pronto Jesús mismo se apareció y comenzó a caminar con ellos.

SABIDURÍA Y REFLEXIÓN

Se alerto a la presencia de Dios. Abre los ojos para que puedas ver lo que Dios está haciendo y lo que está diciendo.

ORACIÓN DE ARRANQUE

Mi Abba y mi Rey, ayúdame a estar alerta a Tu presencia. Abre mis ojos para reconocer lo que estás haciendo. Aumenta mi fe en Ti, Padre Santo, e incrementa mi capacidad de creer plenamente en Ti.

MI REACCIÓN Y MI ORACIÓN

Octubre 22

LA ESCRITURA DE HOY

Lucas 24:32

[32] Entonces se dijeron el uno al otro: «¿No ardía nuestro corazón cuando nos hablaba en el camino y nos explicaba las Escrituras?».

SABIDURÍA Y REFLEXIÓN

Abre los ojos para que reconozcas y comprendas lo que la Palabra de Dios dice acerca de tus necesidades. No seas "tardo de corazón" para creer lo que dicen las Escrituras.

ORACIÓN DE ARRANQUE

Mi Abba y mi Rey, ayúdame a no ser torpe y tardo de corazón para creer lo que he leído en Tu Palabra. Enséñame, Padre Mío, a aprender a comprender lo que Tu Palabra me dice acerca de mis necesidades. Tu Palabra, Señor Jesús, ha creado nueva vida y nuevo gozo dentro de mí. ¡Gloria al Señor!

MI REACCIÓN Y MI ORACIÓN

Octubre 23

LA ESCRITURA DE HOY

Salmos 119:105

Nun

[105] Tu palabra es una lámpara que guía mis pies
y una luz para mi camino.

SABIDURÍA Y REFLEXIÓN

Lee la Biblia para que penetre en tu mente, tu corazón, y tu espíritu.
Entonces te sanará, te renovará, iluminará tu camino, y comenzarás
una obra maravillosa.

ORACIÓN DE ARRANQUE

Mi Abba y mi Rey, gracias por Tu promesa; que cuando Tu Palabra haya
penetrado mi mente, entonces mi corazón y mi espíritu comenzarán una
obra maravillosa. Tu Palabra, O Dios, me sanará, me renovará y
disparará mi insensatez. Padre mío, que siempre Tu Palabra brote de
mis labios. Enséñame Tus juicios, y a cumplir Tus decretos. Protégeme
también, mi Dios, de las trampas de los impíos, y de los falsos piadosos.

MI REACCIÓN Y MI ORACIÓN

Octubre 24

LA ESCRITURA DE HOY

Marcos 1:22

[22] La gente quedó asombrada de su enseñanza, porque lo hacía con verdadera autoridad, algo completamente diferente de lo que hacían los maestros de la ley religiosa.

SABIDURÍA Y REFLEXIÓN

Comprométete a ser un discípulo de Jesucristo sacrificadamente.

ORACIÓN DE ARRANQUE

Mi Abba y mi Rey, Tu Palabra y Tu autoridad son indiscutibles en mi mente. Es mi deseo de ser un discípulo de Jesucristo sacrificadamente; aprendiendo Sus enseñanzas, y siguiendo Sus consejos y Sus mandamientos.

MI REACCIÓN Y MI ORACIÓN

Octubre 25

LA ESCRITURA DE HOY

Juan 1:37

³⁷ Cuando los dos discípulos de Juan lo oyeron, siguieron a Jesús.

SABIDURÍA Y REFLEXIÓN

Se un fiel discípulo de Jesucristo. No seas uno que comienza rápido pero que después se frena.

ORACIÓN DE ARRANQUE

Mi Abba y mi Rey, yo sé que la fidelidad es la característica del verdadero discípulo. Con Tu ayuda y por Tu Gracia seré fiel a Ti.

MI REACCIÓN Y MI ORACIÓN

Octubre 26

LA ESCRITURA DE HOY

Juan 20:21

²¹ Una vez más les dijo: «La paz sea con ustedes. Como el Padre me envió a mí, así yo los envío a ustedes»

SABIDURÍA Y REFLEXIÓN

Enfócate en el llamado de Jesús: "Vayan y hagan discípulos", no en las necesidades de la gente. Abre los ojos espiritualmente para que lo entiendas todo. Aprende de tus propias debilidades, y ríndete a la sabiduría del Espíritu Santo.

ORACIÓN DE ARRANQUE

Mi Abba y mi Rey, abre mis ojos espirituales para que pueda entender la dirección y enseñanza de Tu Espíritu, y dame sabiduría y disciplina para ser Tú enviado; igual que Jesucristo fue el enviado del Padre. Protégeme contra la tendencia a perder el enfoque de Tu llamado por las grandes necesidades de la gente; estas necesidades son tan enormes que consumen mis emociones y simpatías. Entonces pongo hacia un lado tu llamado, que es hacer discípulos.

MI REACCIÓN Y MI ORACIÓN

Octubre 27

LA ESCRITURA DE HOY

Mateo 19:20

20 —He obedecido todos esos mandamientos —respondió el joven—. ¿Qué más debo hacer?

SABIDURÍA Y REFLEXIÓN

Abandona absolutamente todo lo que tienes para seguir a Cristo. No te amarres con las tradiciones, las estructuras, o el deber heroico de ayudar a otros; luego ve y síguelo.

ORACIÓN DE ARRANQUE

Mi Abba y mi Rey, líbrame de pensar y actuar como un hombre religioso; con muchos planes y estructuras, pensando que lo puedo hacer todo y llegar a la meta si lo hago todo ordenadamente y cumpliendo con todas las reglas. Padre, líbrame también de todo lo que me amarre, inclusivo el deber de ayudar a otros. Ayúdame a volver mis ojos más y más hacia Cristo.

MI REACCIÓN Y MI ORACIÓN

Octubre 28

LA ESCRITURA DE HOY

Proverbios 12:15

¹⁵ Los necios creen que su propio camino es el correcto, pero los sabios prestan atención a otros.

SABIDURÍA Y REFLEXIÓN

Ora por tus amigos y por tu familia que todavía no han nacido de arriba, del Espíritu. No seas como los necios que le parece bien cualquier cosa que ocurra.

ORACIÓN DE ARRANQUE

Mi Abba y mi Rey, ayúdame a no tener una mentalidad como los necios que les parece bien cualquier cosa. Dios, oro por los miembros de mi familia y por mis amigos que no saben que pueden tener vida eterna. Padre Santo, oro que tu Espíritu Santo trabaje en sus corazones para que puedan comprender cual grande es Tu amor por ellos. Específicamente, O Dios oro por las siguientes personas:

MI REACCIÓN Y MI ORACIÓN

Octubre 29

LA ESCRITURA DE HOY

Lucas 11:13

[13] «Así que si ustedes, gente pecadora, saben dar buenos regalos a sus hijos, cuánto más su Padre celestial dará el Espíritu Santo a quienes lo pidan».

SABIDURÍA Y REFLEXIÓN

Ora que el Espíritu Santo de Dios llene tu corazón, tu mente, y tu ser.

ORACIÓN DE ARRANQUE

Mi Abba y mi Rey, le abro la puerta de mi corazón al Espíritu Santo. Lo recibo con los brazos abiertos. ¡Espíritu de Dios, lléname de Ti!

MI REACCIÓN Y MI ORACIÓN

LA ESCRITURA DE HOY

Mateo 16:24

24 Luego Jesús dijo a sus discípulos: «Si alguno de ustedes quiere ser mi seguidor, tiene que abandonar su manera egoísta de vivir, tomar su cruz y seguirme».

SABIDURÍA Y REFLEXIÓN

Rinde tu vida al poder transformador del Espíritu de Dios. Niega todo lo que impida una relación personal con Jesucristo. Siempre elije seguir a Jesús y a las cosas de Dios y no a lo que tenga sentido común o lo que sea razonable en este mundo.

ORACIÓN DE ARRANQUE

Mi Abba y mi Rey, ayúdame a escuchar y a entender Tus enseñazas. Padre Celestial, abre los ojos de mi corazón para captar Tu tierna dirección. O Dios, rindo mi vida al poder transformador de Tu Espirito. Protégeme contra los mensajes del enemigo y del mundo que me dicen que haga lo que tenga sentido común, en vez de lo que Tú me has llamado ha hacer.

MI REACCIÓN Y MI ORACIÓN

Octubre 31

LA ESCRITURA DE HOY

Mateo 7:21

Verdaderos discípulos

²¹ »No todo el que me llama: "¡Señor, Señor!" entrará en el reino del cielo. Sólo entrarán aquellos que verdaderamente hacen la voluntad de mi Padre que está en el cielo».

SABIDURÍA Y REFLEXIÓN

Haz la voluntad de Dios en todo lo que hagas, y juzga tu obediencia por su fruto. El fruto del Espíritu Santo que mora en tu interior, nadie puede imitar o falsificar.

ORACIÓN DE ARRANQUE

Padre Mío, dame la disciplina y la fuerza necesaria para hacer Tu voluntad, y no lo que yo crea que es lo apropiado en mi vida. Enséñame a medir mi obediencia por el fruto que produzca y no por la obra que estoy haciendo. Mi Dios, yo sé que nadie puede imitar o falsificar el fruto del Espíritu Santo.

MI REACCIÓN Y MI ORACIÓN

Noviembre 1

LA ESCRITURA DE HOY

Lucas 10:20

[20] Pero no se alegren de que los espíritus malignos los obedezcan; alégrense porque sus nombres están escritos en el cielo.

SABIDURÍA Y REFLEXION

Sé humilde en tu servicio. Alégrate en tu conocimiento de Jesucristo y pídele que el Espíritu Santo te llene de alegría. Pero ten cuidado con el orgullo satánico, y ora por misericordia.

ORACIÓN DE ARRANQUE

Mi Abba y mi Rey, que Tu Espíritu Santo me llene de alegría y por completo para así alabarte. Ayúdame, Jehová, por Tu Espíritu a entender Tu llamado y Tus instrucciones. Protégeme, Padre Santo, contra los engaños de este mundo y de mi ego, los cuales me dicen que debo de regocijarme en el éxito de mi servicio que es la esencia del orgullo satánico. Ayúdame a regocijarme en Ti, y en mi conocimiento de Jesucristo.

MI REFLEXIÓN Y MI ORACIÓN

LA ESCRITURA DE HOY

Lucas 10:21

Jesús da gracias al Padre

[21] En esa misma ocasión, Jesús se llenó del gozo del Espíritu Santo y dijo: «Oh Padre, Señor del cielo y de la tierra, gracias por esconder estas cosas de los que se creen sabios e inteligentes y por revelárselas a los que son como niños. Sí, Padre, te agradó hacerlo de esa manera».

SABIDURÍA Y REFLEXION

Ten la sencillez y la humildad de un niño cuando leas la Palabra de Dios. Recuerda que esas lecciones y instrucciones están escondidas de los sabios e instruidos.

ORACIÓN DE ARRANQUE

Mi Abba y mi Rey, concédeme el Espíritu y la sencillez de un niño cuando leo las Sagradas Escrituras. Padre Santo, ayúdame a entender Tus enseñazas con humildad. Te alabo, mi Dios, porque has escondido estas cosas de los sabios, pero me las has relevado a mí y a mis hermanos y hermanas en Cristo.

MI REFLEXIÓN Y MI ORACIÓN

LA ESCRITURA DE HOY

Mateo 13:57

[57] Se sentían profundamente ofendidos y se negaron a creer en él. Entonces Jesús les dijo: «Un profeta recibe honra en todas partes menos en su propio pueblo y entre su propia familia».

SABIDURÍA Y REFLEXION

Ten paciencia con los que no te entienden, con los que te han abandonado, y con los que te odian. Es imposible explicar tu relación con Cristo y la verdad de Dios a los que no han recibido el Espíritu Santo.

ORACIÓN DE ARRANQUE

Mi Abba y mi Rey, ayúdame a entender el perplejo de mis amigos y de mi familia los cuales no han recibido el Espíritu Santo, el cual es el único que les puede explicar la verdad de Dios. Padre Santo, ilumina su entendimiento para que puedan comprender plenamente Tus enseñanzas. Jehovah, dame paciencia y fuerza para aguantar la tensión que siento por causa de los que no me entienden y por los que me persiguen.

MI REFLEXIÓN Y MI ORACIÓN

Noviembre 4

LA ESCRITURA DE HOY

Lucas 22:31-32

Jesús predice la negación de Pedro

[31]»Simón, Simón, Satanás ha pedido zarandear a cada uno de ustedes como si fueran trigo; [32] pero yo he rogado en oración por ti, Simón, para que tu fe no falle, de modo que cuando te arrepientas y vuelvas a mí fortalezcas a tus hermanos».

SABIDURÍA Y REFLEXION

Ten un corazón contrito y humillado, dedicado a Jesús para que no falles en tu fe.

ORACIÓN DE ARRANQUE

Mi Abba y mi Rey, inspecciona mi corazón y revélame todas las manchas sucias que necesitan Tu limpieza. Revélame el disfraz y la careta con que yo me visto, para conocerme mejor a mí mismo, y así, poder entender con mas claridad como orar. Ayúdame también, Padre Santo, a aprender como pedirle a Tu Espíritu que me sane para el eterno bienestar de mi alma. Mi Dios, crea en mí un corazón contrito y humillado, dedicado a Ti, para que no falle mi fe.

MI REFLEXIÓN Y MI ORACIÓN

Noviembre 5

LA ESCRITURA DE HOY

Marcos 14:37

37 Luego volvió y encontró a los discípulos dormidos. Le dijo a Pedro: «Simón, ¿estás dormido? ¿No pudiste velar conmigo ni siquiera una hora?»

SABIDURÍA Y REFLEXION

Mantente en vigilancia y oración para que no caigas en tentación. Se consciente de que tu cuerpo es débil, aunque tu espíritu este dispuesto a obedecer a Dios. No pierdas la bendición por estar durmiendo.

ORACIÓN DE ARRANQUE

Mi Abba y mi Rey, ayúdame a estar vigilante y siempre orando para no caer en la tentación. Padre Celestial, el mundo está lleno de atracciones y de mentiras que me atraen como un imán. Protégeme contra estos ataques, porque cuando tengo el corazón quebrantado y desconsolado es cuando me siento cansado y soñoliento, y es también cuando estoy más vulnerable a la tentación. Mi Dios, mi espíritu esta dispuesto pero mi cuerpo es débil, levántame cuando me sienta cansado.

MI REFLEXIÓN Y MI ORACIÓN

Noviembre 6

LA ESCRITURA DE HOY

1 Juan 5:14-15

[14] Y estamos seguros de que él nos oye cada vez que le pedimos algo que le agrada; [15] y como sabemos que él nos oye cuando le hacemos nuestras peticiones, también sabemos que nos dará lo que le pedimos.

SABIDURÍA Y REFLEXION

Ten toda confianza en Él, y no en la intensidad de la oración. Guárdate de peticiones egoístas y deseos codiciosos mientras oras. Depende de Dios; ten toda confianza y fe (Lucas 11), pidiendo conforme a Su voluntad.

ORACIÓN DE ARRANQUE

Mi Abba y mi Rey, estoy convencido en mi corazón que Tu oyes todas mis oraciones. ¡Padre Santo, me siento tan alegre al saber que ya tengo lo que te he pedido! Jesús, cuando oro, enséñame a depender de Ti, y a tener toda mi confianza en Ti. Protégeme contra mi agitación, mi intensidad, o en cualquier otra cosa que me aleje de Ti. Padre Santo, enséñame como enseñaste a los primeros discípulos--subrayando en mi oración la fe y la confianza, y pidiendo conforme a Tu voluntad. Guárdame de las peticiones egoístas y de los deseos codiciosos.

MI REFLEXIÓN Y MI ORACIÓN

LA ESCRITURA DE HOY

Salmos 34:18

[18] El SEÑOR está cerca de los que tienen quebrantado el corazón; él rescata a los de espíritu destrozado.

SABIDURÍA Y REFLEXION

Acércate a Dios con un corazón quebrantado, con una mente quebrantada y con un orgullo quebrantado. El Señor oye todas tus angustias, y te liberará de todas ellas.

ORACIÓN DE ARRANQUE

Mi Abba y mi Rey, gracias por Tu promesa de oír mis oraciones. Libérame de todas mis angustias. Gracias por Tu promesa de estar cerca de mí cuando mi espíritu este abatido. Te alabo, mi Dios, ¡por mi redención! Ayúdame, Padre Santo, a acercarme a Ti con un corazón quebrantado, con una mente quebrantada y con un orgullo quebrantado.

MI REFLEXIÓN Y MI ORACIÓN

Noviembre 8

LA ESCRITURA DE HOY

2 Corintios 5:15

[15] Él murió por todos para que los que reciben la nueva vida de Cristo ya no vivan más para sí mismos. Más bien, vivirán para Cristo, quien murió y resucitó por ellos.

SABIDURÍA Y REFLEXION

Consagra tu vida y admite conscientemente la necesidad que tienes de Él.

ORACIÓN DE ARRANQUE

Mi Abba y mi Rey, ayúdame a entender y aceptar el concepto de la conversión, lo que les ocurre a los individuos que son atraídos por Jesucristo y que consagran su vida a Él, y del concepto de la regeneración, que es cuando el pecador reconoce conscientemente la necesidad que tiene de Cristo. Padre de la gloria, examina mi corazón y revela donde estoy en mi relación contigo. Enséñame también como puedo yo ayudar a mis amigos y a mi familia a que conozcan a Jesucristo, pues estoy obligado por el amor de Cristo.

MI REFLEXIÓN Y MI ORACIÓN

Noviembre 9

LA ESCRITURA DE HOY

2 Corintios 5:17

[17] Esto significa que todo el que pertenece a Cristo se ha convertido en una persona nueva. La vida antigua ha pasado, ¡una nueva vida ha comenzado!

SABIDURÍA Y REFLEXION

Actúa como un embajador de Cristo. Porque eres una nueva creación, basado en que Cristo te reconcilio consigo mismo. Eres salvo por la gracia de Dios.

ORACIÓN DE ARRANQUE

Mi Abba y mi Rey, ¡gracias por haberme hecho una nueva creación! Todo lo que yo era ante está completamente olvidado por Ti, porque Cristo me ha reconciliado consigo mismo. Ahora soy una nueva persona. Ahora soy un embajador de Jesucristo. O, Padre santo, ¡el gozo de saber que soy salvo por Tu gracia!

MI REFLEXIÓN Y MI ORACIÓN

Noviembre 10

LA ESCRITURA DE HOY

Juan 20:22

²² Entonces sopló sobre ellos y les dijo: «Reciban al Espíritu Santo.

SABIDURÍA Y REFLEXION

Recibe el Espíritu Santo en Su plenitud para que Él te capacite para entender las enseñanzas de Cristo.

ORACIÓN DE ARRANQUE

Mi Abba y mi Rey, te suplico que Tu Espíritu Santo me capacite para entender las enseñanzas de Cristo en su plenitud. Espíritu de Dios, te ruego que intercedas por mi familia y mis amigos que no conocen a Jesucristo para que nazcan en le reino de Dios, ¡te necesito todos los días de mi vida!

MI REFLEXIÓN Y MI ORACIÓN

Noviembre 11

LA ESCRITURA DE HOY

Juan 20:23

²³ Si ustedes perdonan los pecados de alguien, esos pecados son perdonados; si ustedes no los perdonan, esos pecados no son perdonados».

SABIDURÍA Y REFLEXION

Ora para que Dios sople el Espíritu Santo sobre tu familia y amigos que no le conocen, y así puedan estar vivificados por el Espíritu, y puedan entender la Palabra de Dios.

ORACIÓN DE ARRANQUE

Mi Abba y mi Rey, gracias que cuando nací de nuevo en Cristo, mi primera experiencia sorprendente fue que las Escrituras se abrieron por completo, la grasa se separo del sartén, la oscuridad desapareció y entendí las cosas por primera vez. La Biblia se convirtió para mí en un libro nuevo. Entonces recibí el poderoso bautismo con el Espíritu Santo, el cual me trajo nueva luz y pude empezar mi servicio a Cristo ¡Qué alegría haber sido vivificado por el Espíritu Santo! O Dios, sopla el mismo Espíritu Santo sobre mis amigos y los miembros de mi familia que no te conocen, para que ellos también tengan la misma alegría.

MI REFLEXIÓN Y MI ORACIÓN

Noviembre 12

LA ESCRITURA DE HOY

2 Reyes 6:17

¹⁷ Entonces Eliseo oró: «Oh SEÑOR, ¡abre los ojos de este joven para que vea!». Así que el SEÑOR abrió los ojos del joven, y cuando levantó la vista vio que la montaña alrededor de Eliseo estaba llena de caballos y carros de fuego.

SABIDURÍA Y REFLEXION

Abre tus ojos espirituales para que puedas ver a Dios en toda su belleza. Ora para que Dios ejecute un tipo de operación quirúrgica en tus ojos para que puedas ver con otros ojos que no sean los de tus perjuicios, tus celos, tu arrogancia, o tus deseos de este mundo.

ORACIÓN DE ARRANQUE

Mi Abba y mi Rey, te ruego que Tu Espíritu Santo abra mis ojos espirituales, y que ejecute un tipo de operación quirúrgica para que yo pueda ver lo que Tú quieras que yo vea, y no lo que quiera ver los ojos de mis prejuicios. Padre Santo, ayúdame a examinarme a mí mismo para ver si he recibido la vivificación de Tu Espíritu.

MI REFLEXIÓN Y MI ORACIÓN

Noviembre 13

LA ESCRITURA DE HOY

Juan 20:23

²³ Si ustedes perdonan los pecados de alguien, esos pecados son perdonados; si ustedes no los perdonan, esos pecados no son perdonados».

SABIDURÍA Y REFLEXION

Tu vida espiritual, que procede del Espíritu Santo, es tan crítica como tu vida natural. Tu vida espiritual debe ser tan estable como tu vida natural. ¡Ten buenas disciplinas en ambas!

ORACIÓN DE ARRANQUE

Mi Abba y mi Rey, gracias por la vida espiritual, la cual recibí cuando nací de nuevo de arriba. Ayúdame a tener una vida espiritual estable. Padre Dios, crea en mí las características de un discípulo serio, organizado y disciplinado. O Dios, ¡la vida eterna es mi esperanza! ¡Qué gran expectativa tengo!

MI REFLEXIÓN Y MI ORACIÓN

Noviembre 14

LA ESCRITURA DE HOY

Juan 21:12

[12] «¡Ahora acérquense y desayunen!», dijo Jesús. Ninguno de los discípulos se atrevió a preguntarle: «¿Quién eres?». Todos sabían que era el Señor.

SABIDURÍA Y REFLEXION

Reconoce a Jesucristo en todo lo que ocurre en tu vida. Ámalo con todo tu corazón, tu alma, tu mente y tu fuerza.

ORACIÓN DE ARRANQUE

Mi Abba y mi Rey, llena mi corazón de una pasión por Ti tan extraordinaria que todos los amores de la tierra son odio en comparación. Padre de la gloria, solo Tu Espíritu Santo puede amar de esa forma. Te ruego que Tu Espíritu no quede inmovilizado en mí por ninguna actitud o acción de mi parte. Jesús, mi Dios, Te amo con todo mi corazón, mi alma, mi mente, y mi fuerza. Ayúdame, Señor, a reconocerte cuando hables conmigo y cuando me das instrucciones.

MI REFLEXIÓN Y MI ORACIÓN

Noviembre 15

LA ESCRITURA DE HOY

Lucas 19:8

[8] Mientras tanto, Zaqueo se puso de pie delante del Señor y dijo: —Señor, daré la mitad de mi riqueza a los pobres y, si estafé a alguien con sus impuestos, le devolveré cuatro veces más.

SABIDURÍA Y REFLEXION

Haz lo que Dios te mande a hacer, pues eres una nueva persona que ha sido transformada espiritualmente. Se una personal honorable, trata a todos con justicia, y a los pobres con dignidad.

ORACIÓN DE ARRANQUE

Mi Abba y mi Rey, gracias por Tu Palabra porque siempre me abre la puerta de la verdad con instrucciones especificas para que mi vida natural sea de Tu orgullo. Padre Celestial, ayúdame en mi nueva vida a hacer lo que Tu mandes. Mi Dios, ¡yo regocijo de que "estoy crucificado con Cristo", y en Él ahora vivo por fe!

MI REFLEXIÓN Y MI ORACIÓN

Noviembre 16

LA ESCRITURA DE HOY

1 Pedro 5:2

² cuiden del rebaño que Dios les ha encomendado. Háganlo con gusto, no de mala gana ni por el beneficio personal que puedan obtener de ello, sino porque están deseosos de servir a Dios.

SABIDURÍA Y REFLEXION

Concéntrate en hacer la voluntad de Dios, y no en la cantidad de trabajo que hagas para Dios. Exhibe las características del Espíritu Santo en tu trabajo y en tu cuidado de otros.

ORACIÓN DE ARRANQUE

Mi Abba y mi Rey, ayúdame a vivir mi amor por Ti en servicio a los demás. ¡Señor Jesús, Te amo tanto! Ayúdame a buscar nuevas maneras para expresar este amor. Padre Santo, enséñame a conducir mi servicio como Tu quieres, con amor y con un buen ejemplo; concentrándome siempre en como hacer Tu voluntad, y no en la cantidad del trabajo que hago para Ti. Mi Dios, dame las características de la persona que tiene el amor del Espíritu Santo, siempre haciendo tu voluntad. Jesús ayúdame a tratar a los que están en mi cuidado con justicia.

MI REFLEXIÓN Y MI ORACIÓN

Noviembre 17

LA ESCRITURA DE HOY

Lucas 24:49

⁴⁹ »Ahora enviaré al Espíritu Santo, tal como prometió mi Padre; pero quédense aquí en la ciudad hasta que el Espíritu Santo venga y los llene con poder del cielo».

SABIDURÍA Y REFLEXION

Acepta la promesa del Padre y el poder del Espíritu Santo para vivificarte espiritualmente. Espera el poderoso bautismo con el Espíritu Santo antes de ser enviado a Su servicio (Hechos 1:8).

ORACIÓN DE ARRANQUE

Mi Abba y mi Rey, Te ruego que derrames Tu Espíritu sobre mí y me dé una nueva disciplina. Padre Dios, envíame Tu Espíritu una vez más para que me revista del poder de lo alto, y así me prepare para la obra de Tu servicio. Padre Santo, estoy listo para ser enviado a lo que Tú requieras de mí.

MI REFLEXIÓN Y MI ORACIÓN

LA ESCRITURA DE HOY

Hechos 1:8

^{8} Pero recibirán poder cuando el Espíritu Santo descienda sobre ustedes; y serán mis testigos, y le hablarán a la gente acerca de mí en todas partes: en Jerusalén, por toda Judea, en Samaria y hasta los lugares más lejanos de la tierra.

SABIDURÍA Y REFLEXION

Se testigo de Jesucristo. Recuerda que tu bautismo con el Espíritu Santo te coloca en el cuento espiritual de Cristo para los propósitos poderosos de nuestro Dios omnipotente.

ORACIÓN DE ARRANQUE

Mi Abba y mi Rey, mi deseo es poder seguirte en todo lo que hago. Gracias por enviar a Tu Espíritu Santo el cual me prepara para esa vida de servicio. Padre Celestial, colócame en el cuerpo místico de Cristo para Tus propósitos poderosos.

MI REFLEXIÓN Y MI ORACIÓN

Noviembre 19

LA ESCRITURA DE HOY

Efesios 4:7

⁷ No obstante, él nos ha dado a cada uno de nosotros un don especial mediante la generosidad de Cristo.

SABIDURÍA Y REFLEXION

Se una persona amable, humilde, paciente y tolerante con otros en amor; vive de una manera digna del llamamiento que has recibido. Con la gracia de Dios todo es posible.

ORACIÓN DE ARRANQUE

Mi Abba y mi Rey, crea en mí una persona que siempre busca la paz. Con Tu gracia yo puedo desarrollar una característica positiva, y vivir de una manera digna del llamamiento que he recibido. Padre, ayúdame a ser una persona amable, humilde, paciente, y tolerante con otros en amor; igual que Cristo me ha amado a mí ¡con todo el corazón!

MI REFLEXIÓN Y MI ORACIÓN

Noviembre 20

LA ESCRITURA DE HOY

Juan 17:22

[22] »Les he dado la gloria que tú me diste, para que sean uno, como nosotros somos uno».

SABIDURÍA Y REFLEXION

Abre tu corazón para que el amor de Cristo este en ti, y Él mismo esté en ti. Tu objetivo debe ser que seas uno con Jesucristo.

ORACIÓN DE ARRANQUE

Mi Abba y mi Rey, gracias por hacerme uno en santidad, uno en amor con los creyentes, y por hacerme uno en gloria con ellos. Padre Santo, aprecio la seguridad de que por el sacrificio de Jesucristo tengo comunicación abierta y libre contigo en todo momento. Jesús, hoy Te abro mi corazón para que Tu amor esté en mi, y Tu mismo estés en mi.

MI REFLEXIÓN Y MI ORACIÓN

Noviembre 21

LA ESCRITURA DE HOY

Lucas 12:32

32 »Así que no se preocupe, pequeño rebaño. Pues al Padre le da mucha felicidad entregarles el reino».

SABIDURÍA Y REFLEXION

Deléitate en la oportunidad de servir en el reino de Dios. Recuerda que esto no es solamente una oportunidad de servir en el reino de Dios, pero también es un acto de devoción a Jesucristo.

ORACIÓN DE ARRANQUE

Mi Abba y mi Rey, ayúdame a buscar Tu reino como si fuese agua para el que sé está muriendo de sed. Señor Padre, enséñame a no tener miedo ninguno, porque es Tú voluntad que yo reciba Tu reino. Mi Dios, me deleito en la oportunidad de servir en Tu reino, como un acto de devoción a Jesucristo, y una forma de glorificación al Señor.

MI REFLEXIÓN Y MI ORACIÓN

Noviembre 22

LA ESCRITURA DE HOY

Juan 14:16

¹⁶ Y yo le pediré al Padre, y él les dará otro Abogado Defensor, quien estará con ustedes para siempre.

SABIDURÍA Y REFLEXION

Sé paciente con el Señor cuando Él te dirija a sedas desacostumbradas. Obedécelo en todo. Él tiene un plan más grande del que tu mente humana pueda descifrar. Y Él promete mandar al Espíritu Santo a que te acompañe siempre.

ORACIÓN DE ARRANQUE

Mi Abba y mi Rey, reconozco que este mundo no es mi hogar y que Tú tienes un plan más grande de que mi mente humana pueda descifrar. Ayúdame a buscar Tu voluntad en vez de mi propia comodidad o seguridad, porque yo quiero que nuestra relación sea perfecta, y mi amor por Ti sea completo. Padre mío, dirrúyeme por Tu Espíritu Santo, el cual mandaste para que me acompañe y me ayude a obedecer Tus mandamientos. Mi Dios, ayúdame a tener paciencia cuando me dirijas por sendas desacostumbradas.

MI REFLEXIÓN Y MI ORACIÓN

Noviembre 23

LA ESCRITURA DE HOY

Efesios 2:6

[6] Pues nos levantó de los muertos junto con Cristo y nos sentó con él en los lugares celestiales, porque estamos unidos a Cristo Jesús.

SABIDURÍA Y REFLEXION

Despreocúpate de tus enemigos; los que te atacan. Dios promete protegerte, defenderte, y acudir en tu ayuda. Tu preocupación debe de ser lo que Dios piensa de tu conducta.

ORACIÓN DE ARRANQUE

Mi Abba y mi Rey, Tú eres el único a quien deseo agradar. Padre, solo soy susceptible a lo que Tú pienses de mí. Perdóname si sucumbo ante el juicio de otros. Defiéndeme, Dios, de los que me atacan. Acude en mi ayuda.

MI REFLEXIÓN Y MI ORACIÓN

Noviembre 24

LA ESCRITURA DE HOY

Apocalipsis 3:10

[10] »Dado que has obedecido mi mandato de perseverar, yo te protegeré del gran tiempo de prueba que vendrá sobre el mundo entero para probar a los que pertenecen a este mundo».

SABIDURÍA Y REFLEXION

Manifiesta una vida digna de tu relación con Jesucristo; haciendo el bien y guardando Sus mandamientos consistentemente. Y ten confianza en Sus promesas de protegerte en la hora de tentación.

ORACIÓN DE ARRANQUE

Mi Abba y mi Rey, gracias por Tu promesa de regresar al mundo para poner a prueba a los que viven en la tierra. Padre Celestial, ayúdame a obedecer Tu Palabra y guardar Tus mandamientos. ¡O Dios, dame confianza soberana en Ti, todo poderoso!

MI REFLEXIÓN Y MI ORACIÓN

LA ESCRITURA DE HOY

Job 19:25

²⁵»Pero en cuanto a mí, sé que mi Redentor vive, y un día por fin estará sobre la tierra».

SABIDURÍA Y REFLEXION

Ten confianza en que el Señor entiende tus sufrimientos y responderá con justicia. Manifiesta una conducta basada en la vida de Jesucristo.

ORACIÓN DE ARRANQUE

Mi Abba y mi Rey, ayúdame a confiar en Ti mientras sufro en esta vida a causa de las injusticias. Enséñame, Padre mío, a seguir el ejemplo de Jesucristo. Dame confianza sobrenatural para estar convencido en mi corazón que Tú responderás con Tu espada y que me liberarás.

MI REFLEXIÓN Y MI ORACIÓN

LA ESCRITURA DE HOY

2 Corintios 3:6

⁶ Él nos capacitó para que seamos ministros de su nuevo pacto. Este no es un pacto de leyes escritas, sino del Espíritu. El antiguo pacto escrito termina en muerte; pero, de acuerdo con el nuevo pacto, el Espíritu da vida.

SABIDURÍA Y REFLEXION

Se agradecido a Dios por haberte capacitado para Su servicio. Mantén tu alma en contacto con las indicaciones del Espíritu Santo en todo lo que haces y por aquellos con quien tratas. Abre tu corazón y tu mente a lo que Dios te está diciendo.

ORACIÓN DE ARRANQUE

Mi Abba y mi Rey, gracias por capacitarme para poder servirte en todo lo que Tú desees. Padre Santo, mantén mi corazón y mi mente alerta a lo que Tú me estás diciendo. Guíame hacia el lugar donde yo pueda oír y donde pueda grabar Tu dulce Palabra en mi memoria. Enséñame, Jehová, como usar Tu Palabra para aconsejar, y como mantener mi alma en contacto con las indicaciones del Espíritu Santo.

MI REFLEXIÓN Y MI ORACIÓN

LA ESCRITURA DE HOY

2 Corintios 2:9

⁹ Les escribí como lo hice para probarlos y ver si cumplirían mis instrucciones al pie de la letra.

SABIDURÍA Y REFLEXION

Sé obediente a Jesús en todos los detalles de tu vida; la obediencia de corazón es una necesidad. Y perdona a otros para que Satanás no se aproveche de ti.

ORACIÓN DE ARRANQUE

Mi Abba y mi Rey, yo deseo obedecerte completamente en todo lo que Tu quieras, sin importarme lo extraño o curioso que parezcan ser las circunstancias, aun si otros no lo entienden. Señor, Jesús, trabaja en mi corazón para que mi voluntad sea obediente al modelo de Jesús. Protégeme con la sangre de Cristo contra los engaños de Satanás que creen en mí la desobediencia, el orgullo, y el resentimiento.

MI REFLEXIÓN Y MI ORACIÓN

Noviembre 28

LA ESCRITURA DE HOY

1 Timoteo 4:7

⁷ No pierdas el tiempo discutiendo sobre ideas mundanas y cuentos de viejas. En lugar de eso, entrénate para la sumisión a Dios.

SABIDURÍA Y REFLEXION

Sé piadoso y rechaza toda leyenda profana, prácticas, rituales, y mitos semejantes. Mantén tu corazón cerca de Dios, siempre trabajando para mantener una relación correcta con Dios.

ORACIÓN DE ARRANQUE

Mi Abba y mi Rey, Tus caminos son más altos que mis caminos. Por lo tanto, hoy rechazo toda leyenda profana, prácticas, rituales, y mitos semejantes. Enséñame, Dios, como debo de ejercer en la piedad y como debo de hacer Tu voluntad en mi vida según Tu voluntad. Padre Santo, ayúdame a ser disciplinado con mi tiempo para mantener una relación cercana y correcta contigo.

MI REFLEXIÓN Y MI ORACIÓN

Noviembre 29

LA ESCRITURA DE HOY

2 Tesalonicenses 1:3

Ánimo durante la persecución

³ Amados hermanos, no podemos más que agradecerle a Dios por ustedes, porque su fe está floreciendo, y el amor de unos por otros, creciendo.

SABIDURÍA Y REFLEXION

Cúbrete siempre con la sangre protectora de Jesucristo. Y dales tiempo a los nuevos creyentes para que crezcan antes de que sean colocados en posiciones de liderazgo.

ORACIÓN DE ARRANQUE

Mi Abba y mi Rey, gracias por mis hermanos y hermanas que Te conocen y que por sus testimonios y acciones me han ayudado a crecer en mi fe. Oro también por los nuevos creyentes para que tengan tiempo para crecer antes de ser colocados en posiciones de liderazgo. Inmunízame completamente con la sangre derramada de Jesucristo contra la enfermedad de estas almas con las cuales estoy tratando; capacítame para estar espiritualmente saludable para poder ayudarlos a encontrar al Médico Divino. Dios, oro también por Tu protección contra los problemas que pueda causarme el diablo.

MI REFLEXIÓN Y MI ORACIÓN

Noviembre 30

LA ESCRITURA DE HOY

Salmos 104:24

²⁴ Oh Señor, ¡cuánta variedad de cosas has creado! Las hiciste todas con tu sabiduría; la tierra está repleta de tus criaturas.

SABIDURÍA Y REFLEXION

Dale gracias a Dios por haberte creado en Su imagen. Alégrate y celebra todos tus talentos y tus habilidades. No hables mal de Sus obras, de Sus criaturas o de ti mismo – esto es un insulto hacia el Creador de todo. Busca a Dios en Su creación; ahí oirás Su dirección y verás Su verdad con claridad.

ORACIÓN DE ARRANQUE

Mi Abba y mi Rey, ayúdame a oír Tu dirección y a ver Tu verdad con claridad en todo lo que Tú has creado. Quisiera verte en Tus vientos, en Tus nubes y en Tus árboles. Padre Santo, todo lo que has creado es perfecto y de acuerdo con Tu voluntad. Las aves, las montañas, la luna y el sol. ¡O Señor, cuan numerosas son Tus obras! ¡Todas ellas las hiciste con sabiduría! ¡Rebosa la tierra con todas las criaturas! ¡Aleluya! ¡Alabado sea Dios!

MI REFLEXIÓN Y MI ORACIÓN

Diciembre 1

LA ESCRITURA DE HOY

Mateo 5:20

[20] Les advierto: a menos que su justicia supere a la de los maestros de la ley religiosa y a la de los fariseos, nunca entrarán en el reino del cielo.

SABIDURÍA Y REFLEXIÓN

Haz el bien; tu conducta y tu motivo moral tienen que exceder al de la persona que no conoce a Jesús. La fuente de tu pensamiento debe ser buena.

ORACIÓN DE ARRANQUE

Mi Abba y mi Rey, ayúdame a ser una persona justa, de conducta moral y de buenos pensamientos. Dios, ayúdame a no solamente hacer el bien, sino que también mis motivos sean buenos. Padre Santo, me rindo completamente a Ti para que yo pueda ser todo lo que Tú esperas de mí.

MI REACCIÓN Y MI ORACIÓN

Diciembre 2

LA ESCRITURA DE HOY

Mateo 6:24

24 »Nadie puede servir a dos amos. Pues odiará a uno y amará al otro; será leal a uno y despreciará al otro. No se puede servir a Dios y al dinero».

SABIDURÍA Y REFLEXIÓN

Se fiel a Dios, entrégale el control de tu vida. No te preocupes ni te guíes por tus necesidades – busca primeramente el reino de Dios y Su justicia; Él sabe lo que necesitas.

ORACIÓN DE ARRANQUE

Mi Abba y mi Rey, protégeme contra el énfasis que existe en este mundo con el dinero. Apaga cualquier llama de esclavitud que exista en mi corazón antes de que se pueda convertir en un fuego. Padre Santo, yo quiero servirte a Ti y no a las riquezas. Mi determinación y mi decisión son de seguirte a Ti sin que me importe el precio o el sacrificio. Dios, yo sé que no puedo añadir una sola hora al curso de mi vida con mis preocupaciones. Oro, mi Dios, por Tu justicia.

MI REACCIÓN Y MI ORACIÓN

Diciembre 3

LA ESCRITURA DE HOY

Jeremías 21:8

8 «Dile a todo el pueblo: "Esto dice el Señor: 'iElijan entre la vida y la muerte!'"»

SABIDURÍA Y REFLEXIÓN

Decide obedecer a Dios. ¡Pronto! Ya tienes todas las pruebas y con claridad que Dios es verdadero; tienes que decidir por tu propia voluntad si vas a elegir a Cristo y la vida, o si vas a elegir la muerte de la separación permanente de Dios.

ORACIÓN DE ARRANQUE

Mi Abba y mi Rey, líbrame del miedo de tomar una decisión cuando la situación es difícil. Protégeme contra la preferencia a rabiar, sudar, luchar, pedirte señales milagrosas, o cualquier otra cosa que me saque de esa horrible posición de tener que tomar una decisión. iO, que Dios me conceda poder llegar al momento de la decisión!

MI REACCIÓN Y MI ORACIÓN

Diciembre 4

LA ESCRITURA DE HOY

1 Reyes 18:21

[21] Elías se paró frente a ellos y dijo: «¿Hasta cuándo seguirán indecisos, titubeando entre dos opiniones? Si el SEÑOR es Dios, ¡síganlo! Pero si Baal es el verdadero Dios, ¡entonces síganlo a él!». Sin embargo, la gente se mantenía en absoluto silencio.

SABIDURÍA Y REFLEXIÓN

¡Actúa y decide ya! ¡Ríndelo todo a Jesucristo! Ya tienes todas las pruebas y con claridad que Dios es verdadero; tienes que decidir por tu propia voluntad si vas a seguir a Dios y Sus caminos.

ORACIÓN DE ARRANQUE

Mi Abba y mi Rey, dame la fuerza necesaria para rendirme y decidir por mi propia voluntad que voy a seguir a Jesucristo. Padre Santo, la verdad de Tu Palabra ya está clara en mi mente y ha penetrado mi corazón. Ayúdame, ahora, a tener la madurez y la voluntad necesaria para presentarte mi cuerpo en sacrificio vivo para que Tú hagas Tu obra a través de mí, y así, me santifiques por completo.

MI REACCIÓN Y MI ORACIÓN

Diciembre 5

LA ESCRITURA DE HOY

Lucas 4:32

[32] Allí también la gente quedó asombrada de su enseñanza, porque hablaba con autoridad.

SABIDURÍA Y REFLEXIÓN

Evangeliza a los miembros de tu familia; ellos son tu responsabilidad personal. Es mas fácil testificar a los extraños que a los de tu propia sangre, pero esta sigue siendo tu responsabilidad.

ORACIÓN DE ARRANQUE

Mi Abba y mi Rey, capacítame para anunciar las buenas nuevas de Cristo en mi hogar primero, y también a mi familia. Ayúdame a tomar responsabilidad por este trabajo tan difícil. Padre Celestial, prepara los corazones de mis familiares para que conozcan y acepten a Jesucristo como su salvador.

MI REACCIÓN Y MI ORACIÓN

Diciembre 6

LA ESCRITURA DE HOY

Josué 24:15

[15] Pero si te niegas a servir al Señor, elige hoy mismo a quién servirás. ¿Acaso optarás por los dioses que tus antepasados sirvieron del otro lado del Éufrates? ¿O preferirás a los dioses de los amorreos, en cuya tierra ahora vives? Pero en cuanto a mí y a mi familia, nosotros serviremos al Señor.

SABIDURÍA Y REFLEXIÓN

Oblígate a servir al Señor. ¡Entrégate fielmente a Él! ¡Ríndete a Él! Deshazte de todo lo que adoras y que compite con Él, incluso los "dioses" de tus antepasados.

ORACIÓN DE ARRANQUE

Mi Abba y mi Rey, hoy me rindo a Tu amor y me comprometo a servirte fielmente. Padre Celestial, perdóname cuando vacilo en obedecerte. Ayúdame, Señor, a deshacerme de las memorias de mis antepasados y de todo lo que se convierte en pequeños dioses para mí. Protégeme para que no confunda las bendiciones con Tu obra regeneradora, y contra cualquier otra cosa que compita con mi atención o devoción a Ti.

MI REACCIÓN Y MI ORACIÓN

Diciembre 7

LA ESCRITURA DE HOY

Josué 24:25

²⁵ Entonces, ese día en Siquem, Josué hizo un pacto con ellos, el cual los comprometía a seguir los decretos y las ordenanzas del SEÑOR.

SABIDURÍA Y REFLEXIÓN

Permítele a Dios que te haga una persona de convicción. Sigue los preceptos y las normas que Él te dé.

ORACIÓN DE ARRANQUE

Mi Abba y mi Rey, gracias por las experiencias espirituales y los milagros que Tú has causado en mi vida. Gracias también por los pactos que Tu has hecho conmigo; todo lo cual sirve para guiar mi vida y proveerme con las instrucciones y limitaciones que necesito para vivir como Tu deseas. Padre Santo, inunda mi alma e invade mi corazón con Tu Espíritu para que me ayude a que mi naturaleza se establezca en Ti.

MI REACCIÓN Y MI ORACIÓN

Diciembre 8

LA ESCRITURA DE HOY

Salmos 25:6

⁶ Recuerda, oh Señor, tu compasión y tu amor inagotable,
que has mostrado desde hace siglos.

SABIDURÍA Y REFLEXIÓN

Entrégate y ríndete completamente a Él. Pon toda tu esperanza en Él. Él te hará conocer Sus caminos; te encaminará en la verdad, y te demostrará ternura y gran amor.

ORACIÓN DE ARRANQUE

Mi Abba y mi Rey, gracias por los gozos y las bendiciones que he tenido en mi vida. Padre Santo, reconozco que Tu conoces todos los aspectos de mi vida; Tu eres el ingeniero de todo. Dios, hoy me entrego y me rindo completamente a Tu control. Destruye el orgullo que insiste que yo dependa de mí mismo. Guíame, O Señor, y enséñame el camino de la santidad. ¡Padre de la gloria, en Ti pongo mi esperanza todo el día!

MI REACCIÓN Y MI ORACIÓN

Diciembre 9

LA ESCRITURA DE HOY

Salmos 18:2

2 El SEÑOR es mi roca, mi fortaleza y mi salvador; mi Dios es mi roca, en quien encuentro protección. Él es mi escudo, el poder que me salva y mi lugar seguro.

SABIDURÍA Y REFLEXIÓN

Corre al refugio de Dios, porque Él es tu escudo, tu roca, tu amparo, y tu libertador.

ORACIÓN DE ARRANQUE

Mi Abba y mi Rey, ibendito sea Tu nombre en la tierra y en el cielo! Mi Padre, Tú eres el escudo que me protege contra los ataques de Satanás. Tú eres mi roca donde me puedo parar y no mojarme con las aguas malas de este mundo. Tú eres mi amparo donde siempre puedo encontrar refugio. Tú eres mi libertador que me ha salvado de la muerte eterna a través del sacrificio de Tu único hijo Jesucristo. ¡Alabado sea Tu nombre, mi Dios!

MI REACCIÓN Y MI ORACIÓN

LA ESCRITURA DE HOY

Mateo 7:1

No juzgar a los demás

7 »No juzguen a los demás, y no serán juzgados».

SABIDURÍA Y REFLEXIÓN

Abstente de criticar a los demás. Ten cuidado con cualquier actitud que te ponga en un lugar de superioridad. No juzgues, no seas un hipócrita, perdona, y dale a tu prójimo. Con la medida que tú midas a otros, se te medirá a ti.

ORACIÓN DE ARRANQUE

Mi Abba y mi Rey, protégeme contra la tendencia que tengo a juzgar y a criticar a otras personas. Padre Santo, sálvame de la critica que se convierte en un habito que destruye mi energía moral, que mata mi fe y que paraliza mi fuerza espiritual. Enséñame, Dios, a discernir cosas que son malas y pecaminosas, a través de tu Espíritu Santo. O Dios, Tú eres el único juez verdadero.

MI REACCIÓN Y MI ORACIÓN

Diciembre 11

LA ESCRITURA DE HOY

Mateo 5:11-12

[11] Dios los bendice a ustedes cuando la gente les hace burla y los persigue y miente acerca de ustedes y dice toda clase de cosas malas en su contra porque son mis seguidores. [12] ¡Alégrense! ¡Estén contentos, porque les espera una gran recompensa en el cielo! Y recuerden que a los antiguos profetas los persiguieron de la misma manera.

SABIDURÍA Y REFLEXIÓN

Regocíjate cuando seas perseguido o calumniado por causa de Jesús. Tu motivo de sufrir es ser agradable a Dios. No vaciles en pronunciarte abiertamente en público, a favor de Dios y de Su Palabra, aun cuando al compartirlas te pongas en ridículo.

ORACIÓN DE ARRANQUE

Mi Abba y mi Rey, ¡qué difícil es esta cruz! (Mat. 16:24) Lo que yo quisiera es esconderme debajo de una roca, y que nadie me moleste. Yo prefiero estar tranquilo y solo contigo en una cueva. Pero Dios, yo sé que mi deber es pronunciarme a favor de Ti y de Tu Palabra. Entiendo que esta es la mayor necesidad del mundo. Padre Santo, dame fuerza para ser fiel en compartir sobre Cristo, y dame Tu gracia para regocijarme cuando me persigan por Tu causa.

MI REACCIÓN Y MI ORACIÓN

Diciembre 12

LA ESCRITURA DE HOY

Salmos 71:5

[5] Oh Señor, sólo tú eres mi esperanza; en ti he confiado, oh SEÑOR, desde mi niñez.

SABIDURÍA Y REFLEXIÓN

Permítele que Dios haga lo que quiera contigo. ¡Él sabe muy bien lo que esta haciendo! ¡Dios es soberano, y nunca te abandonará! ¡Él es justo! Pon toda tu confianza y esperanza en Él.

ORACIÓN DE ARRANQUE

Mi Abba y mi Rey, en Tus manos pongo lo siguiente: todos mis pensamientos, todos mis planes, todos mis trabajos, todos mis dolores, y toda mi vida. ¡Jesús, haz lo que Tú quieras conmigo! Dios, de hoy en adelante pongo toda mi esperanza, confianza y fe en Ti. Padre de la Gloria, Cristo es la respuesta a todo lo que busco; mi ayuda, mi justicia, mi consuelo, y mi vida. ¡Alabado seas Tu, Señor!

MI REACCIÓN Y MI ORACIÓN

Diciembre 13

LA ESCRITURA DE HOY

Salmos 42:1

Para el director del coro: salmo de los descendientes de Coré.

[1] Como el ciervo anhela las corrientes de las aguas,
así te anhelo a ti, oh Dios.

SABIDURÍA Y REFLEXIÓN

Busca a Dios con la misma sed de un venado en el desierto. No te inquietes ni te angusties. En Dios pon tu esperanza. ¡Él es tu salvador y tu Dios!

ORACIÓN DE ARRANQUE

Mi Abba y mi Rey, en Ti pongo toda mi esperanza. Padre Santo, gracias por amarme tanto que siempre me buscas para darme Tus bendiciones. Dios, yo deseo una vida ardiente con Tu Espíritu Santo. Deseo Tu presencia en mi vida con la misma sed de un venado en el desierto. Te alabo, Padre Celestial, ¡mi salvador y mi Dios!

MI REACCIÓN Y MI ORACIÓN

Diciembre 14

LA ESCRITURA DE HOY

Efesios 2:6

[6] Pues nos levantó de los muertos junto con Cristo y nos sentó con él en los lugares celestiales, porque estamos unidos a Cristo Jesús.

SABIDURÍA Y REFLEXIÓN

Quítate de la mente cualquier idea que Dios hace distinción entre unos y otros. Dios se inclina hasta los más bajos y los más débiles, y los levanta si ellos se lo permiten. La incomparable riqueza de Su gracia nos pertenece a todos.

ORACIÓN DE ARRANQUE

Mi Abba y mi Rey, gracias por Tu misericordia y por Tu amor por mí. O Dios, sé que Tu maravillosa gracia es el secreto de la victoria espiritual. Gracias, Padre, que me has perdonado por mis pecados, y que en Ti puedo encontrar santificación completa. Tú nunca haces distinción entre unos y otros. ¡Aleluya!

MI REACCIÓN Y MI ORACIÓN

Diciembre 15

LA ESCRITURA DE HOY

Efesios 2:8

⁸ Dios los salvó por su gracia cuando creyeron. Ustedes no tienen ningún mérito en eso; es un regalo de Dios.

SABIDURÍA Y REFLEXIÓN

Sé completamente seguro que Dios te creo en Cristo Jesús para hacer buenas obras, las cuales Dios dispuso de antemano. Por gracia te levanto del pecado, de la debilidad, de la infidelidad, de la desobediencia y de la ira. Gracias a Dios puedes manifestar una mente pausada, calmada, firme y fuerte.

ORACIÓN DE ARRANQUE

Mi Abba y mi Rey, gracias por levantarme del pecado, de la infidelidad, de la incapacidad, de la debilidad, de la desobediencia, y de la ira a los lugares celestiales donde Tú vives en la plenitud de Tu poder. Alabado seas Tú, mi Dios, por la gracia que me capacita para poder manifestar una mente pausada, calmada, firme y fuerte. Yo sé que esto no procede de mi, sino que es Tu regalo. Jesús, Tu paz me fortalece, me capacita, y pone seguridad en mí. ¡Aleluya!

MI REACCIÓN Y MI ORACIÓN

Diciembre 16

LA ESCRITURA DE HOY

Salmo 91

[1] Los que viven al amparo del Altísimo
encontrarán descanso a la sombra del Todopoderoso.

SABIDURÍA Y REFLEXIÓN

Acógete a la sombra del todopoderoso. Habita al abrigo del altísimo.
No eres un extraño ni extranjero, sino conciudadano de los santos y
miembro de la familia de Dios.

ORACIÓN DE ARRANQUE

Mi Abba y mi Rey, no permitas que los problemas de este mundo y las
circunstancias de mi vida obstaculicen mi paz y mi relación contigo.
Protégeme contra la prisa y la confusión del mundo; en Ti me acojo a
Tu sombra protectora. Padre todopoderoso, eres todo para mi; la
seguridad de Tu amor y de Tu paz es suficiente.

MI REACCIÓN Y MI ORACIÓN

Diciembre 17

LA ESCRITURA DE HOY

Salmos 29:11

[11] El Señor le da fuerza a su pueblo; el Señor lo bendice con paz.

SABIDURÍA Y REFLEXIÓN

Practica obedecer a Dios en todo lo que hagas; entonces el Padre y el Hijo harán su vivienda en ti. ¡Si amas al Padre, lo obedecerás!

ORACIÓN DE ARRANQUE

Mi Abba y mi Rey, enséñame a obedecerte más para que Tu paz mantenga a mi alma con una serenidad que esté por encima de las circunstancias y batallas externas, como por ejemplo: los problemas, la tribulación, la confusión, y la aflicción. Padre Santo, que la paz de Cristo se manifieste en mi en todo lo que yo hago en mi vida.

MI REACCIÓN Y MI ORACIÓN

Diciembre 18

LA ESCRITURA DE HOY

Mateo 5:8

[8] Dios bendice a los que tienen corazón puro, porque ellos verán a Dios.

SABIDURÍA Y REFLEXIÓN

Sé sensible para las cosas de Dios. Tus motivos siempre deben de ser puros.

ORACIÓN DE ARRANQUE

Mi Abba y mi Rey, limpia mi corazón de toda impureza. Hazme puro ante Tus ojos. Padre Santo, ayúdame a que mis motivos sean tan puros como los de Jesucristo. Jehová, dame sensibilidad para Tus cosas, e imparte en mí la pureza que caracterizó a Jesucristo.

MI REACCIÓN Y MI ORACIÓN

Diciembre 19

LA ESCRITURA DE HOY

Isaías 26:8

[8] SEÑOR, mostramos nuestra confianza en ti al obedecer tus leyes; el deseo de nuestro corazón es glorificar tu nombre.

SABIDURÍA Y REFLEXIÓN

Mantén tus ojos en Jesús para que permanezcas firme e inconmovible cuando te enfrentes de repente con problemas o pruebas. Permite que Dios te santifique por completo, para que puedas conocer la "paz que sobrepasa todo entendimiento".

ORACIÓN DE ARRANQUE

Mi Abba y mi Rey, ayúdame a tener la disciplina necesaria para que mi pensamiento se preserve en Ti. Dios misericordioso, sálvame de ser preso del pánico cuando me encuentre de repente, cara a cara con un problema. Ayúdame, Jehová, a que nada me tome por sorpresa porque Tú me guardas en perfecta paz. Padre Santo, santifícame por completo para poder conocer la "paz que sobrepasa todo entendimiento".

MI REACCIÓN Y MI ORACIÓN

Diciembre 20

LA ESCRITURA DE HOY

Hechos 9:6

⁶ Ahora levántate, entra en la ciudad y se te dirá lo que debes hacer.

SABIDURÍA Y REFLEXIÓN

Prepárate para recibir, aceptar, y poner en acción Sus instrucciones, Su visión, y Su llamado. Tu deseo debe de ser hacer Su voluntad.

ORACIÓN DE ARRANQUE

Mi Abba y mi Rey, enséñame como debo de prepararme para recibir, aceptar y poner en acción Tus instrucciones, Tu visión, y Tu llamado para mí. O Señor, mi deseo es hacer Tu voluntad en todo lo que yo haga. Padre Santo, yo sé que mi propósito en este mundo es glorificarte y disfrutarte. ¡Ven Jesús, y entra en mi mente y en mi corazón!

MI REACCIÓN Y MI ORACIÓN

Diciembre 21

LA ESCRITURA DE HOY

Lucas 23:37

³⁷ Y exclamaron: «Si eres el rey de los judíos, isálvate a ti mismo!».

SABIDURÍA Y REFLEXIÓN

Sé más preocupado por tu relación con Cristo que por preservar una buena reputación. Aprende a permanecer callado ante los críticos de Cristo y del Evangelio; este es el "precio de la vergüenza" para servirle. Recuerda que Cristo permaneció callado ante sus críticos.

ORACIÓN DE ARRANQUE

Mi Abba y mi Rey, estoy dispuesto a ser avergonzado y listo para pagar el precio más alto por el Evangelio. Padre mío, estoy consciente de que muchos en este mundo no entienden Tu mensaje de amor, y que para ellos es una tontería; yo estoy dispuesto a pagar "el precio de la vergüenza" para servirte. Ayúdame, Jesús, a no verme obligado a impresionar a los que no Te conocen para preservar una buena reputación. Enséñame a permanecer callado ante los críticos, iigual que hizo Jesús con Sus acusadores!

MI REACCIÓN Y MI ORACIÓN

Diciembre 22

LA ESCRITURA DE HOY

Mateo 13:23

[23] Las semillas que cayeron en la buena tierra representan a los que de verdad oyen y entienden la palabra de Dios, ¡y producen una cosecha treinta, sesenta y hasta cien veces más numerosa de lo que se había sembrado!

SABIDURÍA Y REFLEXIÓN

No te dejes ahogar por las preocupaciones de esta vida y el engaño de las riquezas. Las responsabilidades de tus negocios están sobre los hombros de Dios. Recibe "la semilla" de Dios y haz un trabajo diez mil veces mejor con salud y prosperidad, bajo el cuidado de Dios.

ORACIÓN DE ARRANQUE

Mi Abba y mi Rey, oro profundamente por mis hermanos que oyen la Palabra acerca del reino y no la entienden, o dura poco tiempo porque no tienen raíz. Padre Santo, Te pido que a través de Tu Espíritu abras sus corazones y sus mentes para que puedan apreciar Tu amor por ellos. Padre Celestial, también oro por mí mismo. Te pido que fortalezcas mi fe en Ti y mi confianza de que Tú cuidas de todos los detalles de mi vida. Perdóname, Jehová, cuando yo dejo que las preocupaciones de esta vida y el engaño de las riquezas me ahoguen. Yo sé que la preocupación significa que estoy diciendo que Tú no estás en control. Dios, enséñame a concentrarme en Tu cuidado compasivo.

MI REACCIÓN Y MI ORACIÓN

Diciembre 23

Mateo 19:29

29 Y todo el que haya dejado casas o hermanos o hermanas o padre o madre o hijos o bienes por mi causa recibirá cien veces más a cambio y heredará la vida eterna.

SABIDURÍA Y REFLEXIÓN

Ama a Dios por encima de todo, y más que cualquier otra cosa; esto incluye a ti mismo.

ORACIÓN DE ARRANQUE

Mi Abba y mi Rey, manda Tu Espíritu para que me enseñe a amarte por encima de todo. Dios, yo quiero darte toda mi devoción, y entregarte toda mi pasión, por buenas y por malas, a cualquier precio.

MI REACCIÓN Y MI ORACIÓN

Diciembre 24

LA ESCRITURA DE HOY

Ezequiel 36:23

²³ Mostraré cuán santo es mi gran nombre, el nombre que deshonraron entre las naciones. Cuando revele mi santidad por medio de ustedes ante los ojos de las naciones, dice el SEÑOR Soberano, entonces ellas sabrán que yo soy el SEÑOR.

SABIDURÍA Y REFLEXIÓN

Recuerda que cada virtud que posees, cada victoria que ganes, cada abundancia que tengas, y cada buena obra que hagas, son solo de Él.

ORACIÓN DE ARRANQUE

Mi Abba y mi Rey, eres omnipotente; Tus grandezas no tienen comparación. Gloria a Ti, Señor, por Tu promesa de liberarme de todas mis impurezas, y proveerme con todo lo que necesito. Todo honor para Ti, Padre celestial, por las virtudes que yo poseo, las victorias que yo he ganado, por mis abundancias, y por cada obra buena que haga en Jesús mi Salvador.

MI REACCIÓN Y MI ORACIÓN

Diciembre 25

LA ESCRITURA DE HOY

Filipenses 2:7-8

⁷ En cambio, renunció a sus privilegios divinos; adoptó la humilde posición de un esclavo y nació como un ser humano. Cuando apareció en forma de hombre, ⁸ se humilló a sí mismo en obediencia a Dios y murió en una cruz como morían los criminales.

SABIDURÍA Y REFLEXIÓN

Acepta la formación de Jesús en tu alma para que produzcas Sus características y para que otros puedan verlo a Él en ti.

ORACIÓN DE ARRANQUE

Mi Abba y mi Rey, gracias por el regalo sin condiciones de Tu Hijo único Jesucristo, que vino a redimir nuestras miserias y nuestros pecados. Yo acepto Tu regalo, acepto a Jesús, y me rindo totalmente a Él. Cristo Rey, trabaja a través de mí en la forma que Tú desees. Emmanuel, Dios conmigo, mi Salvador, crea Tu hogar en mí, y forma dentro de mí los frutos del Espíritu, para que el mundo Te vea a Ti en mí.

MI REACCIÓN Y MI ORACIÓN

Diciembre 26

LA ESCRITURA DE HOY

Hebreos 7:25

²⁵ Por eso puede salvar —una vez y para siempre— a los que vienen a Dios por medio de él, quien vive para siempre, a fin de interceder con Dios a favor de ellos.

SABIDURÍA Y REFLEXIÓN

Sé una persona de oración, un intercesor por las dificultades de los demás. Aprende a sentir toda la angustia y todo el dolor de los pecados de otros, como si fueran en realidad los tuyos.

ORACIÓN DE ARRANQUE

Mi Abba y mi Rey, intercedo por mi familia y por mis amigos. Concédeles, Dios, amabilidad, gracia, paz, y Tu santidad. Llénalos de la paz que sobrepasa toda la compresión, y que tengan una vida piadosa y digna. También Te pido, Padre Celestial, que proporciones Tus bendiciones más ricas sobre ellos. Te ruego que puedan comprender cuanto ancho y largo, alto y profundo es Tu amor por ellos.

MI REACCIÓN Y MI ORACIÓN

Diciembre 27

LA ESCRITURA DE HOY

Filipenses 3:13

¹³ No, amados hermanos, no lo he logrado, pero me concentro sólo en esto: olvido el pasado y fijo la mirada en lo que tengo por delante...

SABIDURÍA Y REFLEXIÓN

Esfuérzate para que tengas una mayor madurez y piedad. ¡Haz lo que Jesús te ha llamado a hacer! Todo lo que hagas, hazlo con valor sublime por causa de Cristo.

ORACIÓN DE ARRANQUE

Mi Abba y mi Rey, por Tu Gracia ayúdame a tener una mayor madurez y piedad. Dios de mi salvación y mi santificación, ayúdame también a recordar quien yo soy, y a quien yo sirvo. Padre Santo, mi objetivo es olvidarme de lo que queda atrás, y avanzar en mi crecimiento de conocerte mejor. Ayúdame a hacerlo todo con valor sublime por causa de Cristo. ¡Señor Jesús, dame valor para hacer Tú voluntad!

MI REACCIÓN Y MI ORACIÓN

Diciembre 28

LA ESCRITURA DE HOY

Mateo 4:10

[10] —Vete de aquí, Satanás —le dijo Jesús—, porque las
Escrituras dicen: "Adora al SEÑOR tu Dios
y sírvele sólo a él".

SABIDURÍA Y REFLEXIÓN

Haz la voluntad de Dios y Su obra a Su manera. Ten cuidado con tu
egoísmo (haciendo una obra para Dios, a tu manera, es egoísmo) y con
los trucos de Satanás.

ORACIÓN DE ARRANQUE

Mi Abba y mi Rey, perdóname cuando insisto en hacer lo que yo quiero.
Padre, yo deseo hacer Tu voluntad, y hacer Tu obra a Tu manera.
Ayúdame, Dios, a darme cuenta de que Satanás obra mediante mi
egoísmo, y que el egoísmo incluye hacer obras en Tu nombre, pero a mi
manera. ¡Vete, Satanás! ¡Yo solo serviré a mi Señor Jesucristo!

MI REACCIÓN Y MI ORACIÓN

Diciembre 29

LA ESCRITURA DE HOY

Mateo 24:6

⁶ Oirán de guerras y de amenazas de guerras, pero no se dejen llevar por el pánico. Es verdad, esas cosas deben suceder, pero el fin no vendrá inmediatamente después.

SABIDURÍA Y REFLEXIÓN

Sé un heraldo de la segunda venida del Hijo del hombre. Espera la promesa de una nueva época que será Su reino que se establecerá sobre la tierra. Pero esté alerta contra los falsos profetas que harán grandes señales y milagros para engañar.

ORACIÓN DE ARRANQUE

Mi Abba y mi Rey, yo confieso que no entiendo el concepto de Tu venida repentina y la nueva época de Tu reino, el cual se establecerá en la tierra. Pero si comprendo que deseas que yo sea un heraldo de esa nueva época. ¡Líbrame, Señor, de jamás intentar de usurpar el ministerio de Tu Espíritu Santo! Protégeme, Padre Santo, contra los falsos profetas, los engaños, y los que me odian por causa de Tu nombre.

MI REACCIÓN Y MI ORACIÓN

Diciembre 30

LA ESCRITURA DE HOY

Mateo 24:35

[35] El cielo y la tierra desaparecerán, pero mis palabras no desaparecerán jamás.

SABIDURÍA Y REFLEXIÓN

Prepárate para el momento secreto en que regresará el Hijo del hombre a este mundo. Él vendrá cuando menos lo esperen.

ORACIÓN DE ARRANQUE

Mi Abba y mi Rey, gracias por Tu plan perfecto que incluye: limpiar nuestro corazón de todo el pecado, reajustar nuestra naturaleza, y llenarnos de Tu divinidad; todo esto basado únicamente en el hecho de que Jesucristo fue el sustituto por el pecado del mundo. O Dios, ayúdame a responder a Tu amor perfecto con devoción total. Enséñame a mantenerme despierto y preparado para el momento en que regrese el Hijo del hombre a este mundo.

MI REACCIÓN Y MI ORACIÓN

Diciembre 31

LA ESCRITURA DE HOY

2 Timoteo 3:5

5 Actuarán como religiosos pero rechazarán el único poder capaz de hacerlos obedientes a Dios. ¡Aléjate de esa clase de individuos!

SABIDURÍA Y REFLEXIÓN

Sé alerta a las señales de los últimos días; la gente estará llena de egoísmo y avaricia. No seas engañado por la tecnología moderna y el mercadeo de esta era.

ORACIÓN DE ARRANQUE

Mi Abba y mi Rey, ayúdame a no caer en la trampa de las tecnologías modernas y las nuevas técnicas de mercadeo que me pueden engañar. Padre Santo, protégeme contra los que crean la imagen de una persona piadosa y cristiana, cuando en realidad son blasfemos, calumniadores, impíos, y Tus enemigos. ¡Jesús, que Tu Espíritu me revele la verdad, porque quiero estar listo para Tu regreso!

MI REACCIÓN Y MI ORACIÓN

LISTA DE AYUDA
PARA ORACIONES Y MEDITACIONES

Escriba aquí sus referencias para ayudarle a encontrar lo más rápidamente posible sus oraciones y meditaciones.

Alegre/alegría

Ansiedad

Crisis

Cólera

Desaliento

Dolor

Enfermedad/enfermo

Evangelismo

Familia/niños

Maldad/mal

Miedo

Muerte/luto

Pacificadores

Pecado

Pérdidas

Presupuesto/finanzas

Preocupación

Tentación

Triste/tristeza

Valores

CPSIA information can be obtained
at www.ICGtesting.com
Printed in the USA
LVHW021344220222
711709LV00011B/967